青春文庫

99%が気づいていない大人の勉強力

人生を変える"鬼"法則100

ビジネスフレームワーク研究所［編］

青春出版社

勉強しよう！　と思ったときこそ、自分を変えるチャンスです

勉強したいという気持ちはあるけれど、仕事が忙しくてまとまった時間がなかなか取れない、昔より集中力も記憶力も落ちているし…と思っているようなら、ぜひ本書を手にしてほしい。

この本には多くの人が気づいていない、「大人の勉強法」を満載している。集中力から目標設定、モチベーションなど、最短かつ最善の方法で結果が出る〝必勝法〟ばかりだ。

目標設定は結果よりも「プロセス」から考えたほうが効率がいい理由、無駄なく学力を伸ばせる「掛け合わせ効果」の秘密。忘れないために絶対に必要な「魔法の5分間」など、読むだけで頭が突然冴えわたるシンプルなメソッドの数々――。

「勉強しよう！」と思い立ったときが、自分を変えるチャンスだ。昨日とは違う自分になって、これからの人生に奇跡を起こしていただきたい。

２０２０年３月

ビジネスフレームワーク研究所

99%が気づいていない大人の勉強力■目次

1 目標設定こそ、運命の分かれ道——13

4 結果に直結する深い理解力の身につけ方——93

5 勉強ができる人の覚えるコツ、忘れないコツ——111

6 突然頭が鋭くなる！　武器としての集中力―― 149

カバー・帯イラスト■yopinco/shutterstock.com
本文イラスト■sinoptic/shutterstock.com
■Michiko Design/shutterstock.com
制作■新井イッセー事務所
DTP■フジマックオフィス

1

目標設定こそ、運命の分かれ道

001

苦手なことは「平均」を、得意なことは「満点」をめざす

たとえば、世界史の中でも中世史がどうしても覚えられない、数学の関数が足を引っ張るなど、どんな人でも苦手な分野はあるものだ。勉強をしているときに重きを置かれることのひとつに、苦手な分野をいかにつぶすかというものがある。

もちろん、苦手な部分を克服するのは重要だ。あくまでも可能性として考えれば、受けた試験に苦手分野からの出題が多ければ、失敗してしまう確率が高くなってしまう。

とはいっても、苦手分野で結果を出すというのは難しいものだし、勉強すること自体も苦しいのが現実だ。

ある程度勉強しても苦手なものは苦手だということがわかったら、いっそ頭を

切り替えて、得意分野で勝負するという方向で考えてみるのもいいだろう。

苦手な部分をいくら勉強しても平均点をめざすのがせいぜいだが、得意な分野は最高点を取れるまで伸ばせるということも大いにありうる。オールラウンダーではなく、**スペシャリストをめざす**のだ。

仮に合格点が2科目150点だとしたら、極端にいうと、100点と50点でいいのである。すべての分野で同じように点が取れなくても、今ある長所を武器にできるほど磨くことで十分勝負できる。

たとえば数学が苦手だとしたら、とりあえず平均点をめざす。他人よりいい点数を取らなければならないと思うと苦しいが、人並みでいいと割り切る。しかし、得意の社会ではトップクラスの成績を取れるように猛勉強するのだ。

得意な分野の勉強は楽しいものだし、どんどん上をめざしたくなるはずだ。何もかも手をつけて、結局パッとしない結果に終わるよりも、まず現状を見極めて思い切って得意分野に重点を置くなど、**戦略的に勉強のウェイトを決めていく**ことも賢いやり方なのである。

002

ゴールのイメージを具体的にしておくのがポイント

初めて訪れる場所に行くとき、まず確認するのが地図だ。駅までの道、電車の乗り継ぎなど、どのルートをたどるのがベストなのかを把握していかないと、道に迷ったあげくに大回りするといった羽目に陥ってしまう。

勉強でも同じことがいえる。目標を立てたら、**達成までのプロセスを具体的に思い描いてみよう**。目標のレベルによって必要な時間や労力は違うものだし、それによって具体的な行動も変わってくるはずだ。

かなりハードルの高い目標なら、その達成プロセスを具体的にイメージすることで、「これは本気でやらないとダメだ。勉強時間の確保のために今の生活のどの部分を削ろうか」とか、「自分1人の力で達成するのは難しいから、勉強のための講座に通ったほうがいい」など効率のいい選択ができるようになるのだ。

003

その日にこなすページ数を決めたら、8割消化を目指す

「目標」は、その日ごとに立てることも重要なポイントのひとつだ。

まず最終的な大きな目標があり、それを達成するためにはいつまでに何をやり遂げればいいかの目標を定めて、それを実現するために「今日はこれをやる」という具体的な目標を設定するのだ。

たとえば、「今日は○ページまでやる」というふうに、細かく設定するのがコツである。目標がはっきり見えたほうがやる気が出るのはいうまでもない。

そしてもうひとつのコツは、１００パーセント達成しようと思わず、「80パーセント」を目標にすることだ。もしも１００パーセント達成できないときには、挫折感だけが残るし、それが続くといつの間にか熱意も失せてしまう。

「8割消化すれば成功」くらいの余裕を持つことが達成するための秘訣だ。

004

効率のいい勉強を手助けする2つの目標とは？

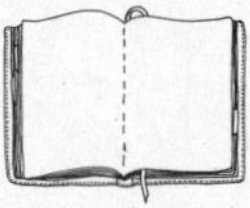

勉強は知識をひたすらインプットする作業と思いがちだが、じつは**効率がいいのはインプットしたらアウトプットをする**やり方だ。

インプットしただけでは、その知識が本当に自分のものになっているのか確認することができない。誰かに説明することで理解をしているかどうかがわかるし、本当に使える知識として身につくものだ。

それにはまず、2つの目標を立ててみよう。

ひとつは、**インプットのための目標**だ。勉強にどれくらいの時間をかけるか、どんな参考書を使うのか、いつ勉強するのかといった、インプット作業に関わる具体的な目標を立てる。

もうひとつは、**アウトプットをするための目標**だ。勉強したことをいつまでにアウトプットするか、誰にアウトプットするのか、どうやってアウトプットするのかということを考えてみよう。

手軽にできるのは、家族や友人に勉強したことを説明することだ。自分が講師になったつもりで解説してみれば、相手が理解できるように説明するのは意外と難しいことがわかるはずだ。

もし、誰かに説明を聞いてもらうのが難しければ、問題集などを使った小テストや、業者が行う模擬テストなどがあれば利用してみてもいいだろう。

うまく説明できたりテストで高得点が取れればうれしいし、いまいち説明が物足りなかったり、テストの結果が振るわなかったら悔しいだろう。うれしかったらますます勉強したくなるし、悔しかったら「次こそは！」と思うはずだ。その**感情の揺れが次の勉強に弾みをつけてくれる**のだ。

インプットとアウトプットを繰り返すことで勉強の効率はよくなるうえに、メリハリが生まれてモチベーションも維持できるというわけなのである。

005

勉強の目標をルーチンワークにヒモづけして設定する

時間があるときにやろう、今日は無理だから明日やろう――。この思考パターンは失敗への第一歩だ。確実に達成したい目標があるなら、言い訳をできないように勉強をルーチンワークに絡めて設定してしまおう。

それには無意識のうちに毎日必ずやることが重要で、たとえば**入浴や食事、通勤、通学などと勉強時間をヒモづけしてしまう**のだ。

毎朝30分だけ早起きして、朝食の前に必ず数学の問題集を1ページ解く。電車に乗っている時間はスマホのアプリで英単語の復習をする。食事の前は必ず1時間机に向かう。お風呂に入っているときはスピーカーで英文を聞き流す。ベッドに入ったら歴史の教科書を1ページだけ読んでから寝る。

ざっと挙げただけでも、日常生活の中に勉強をルーチンワークとして組み込むスキはたくさん存在する。**細切れの時間であっても、毎日積み重ねていけば思った以上の成果が上げられる**はずだ。

毎日3時間勉強するという目標を立てるよりも、**ルーチンワークに組み込んだ勉強法のほうが取り組みやすい**。トータルで3時間などは、わけもなく達成できてしまうはずだ。

心しておきたいのは、少々のことがあってもこのルーチンワークは動かさないようにすることだ。面倒くさいからといって後回しにしたり、手を抜いたりしてしまったら、習慣にすることができなくなってしまう。

ルーチンワークと聞けば、退屈な作業というイメージを持つかもしれないが、当たり前のように毎日繰り返されることで膨大な作業量をこなすことができるという性質がある。

こなさないと落ち着かないと思えるほど勉強を当たり前の作業にできたら、目標達成は叶ったも同然なのである。

006

ポジティブな人がやりがちな目標設定のミスとは？

目標設定をするときにありがちな間違いのひとつに、目標設定が高すぎるということが挙げられる。

これは、やる気にあふれた**ポジティブな人や自己分析が足りない人がやりがちなミス**である。

やる気に任せてはるか彼方に目標を設定してしまったり、自分の能力を過信して、とうていクリアできない目標を掲げてしまったら、達成するのは至難のワザとなってしまうだろう。

たとえば、ピアノを習い始めたばかりの子どもに対して、発表会の演奏曲としていきなりベートーヴェンの第九の楽譜を渡してもまず間違いなく弾くことはできないし、たとえできたとしても本番で上手く演奏できるはずもない。

つまり、設定した時点で達成不可能な目標を立てていることになってしまうのである。

いくらやる気があっても、自らを失敗に導くのは本意ではないだろう。はやる気持ちをおさえて、まずは冷静な自己分析をしてみよう。

日々の小テストでなかなかいい点数が取れないなら、基礎力から見直そう。まず、やさしい問題集を解いたり、計算力、単語力などをしっかり固めるための目標設定が効果的だ。

逆に小テストでは満点が取れる実力があるなら、もう少しレベルの高い問題集に取り組んだり、定期試験や模擬試験といった範囲の広いテストでの達成目標を立ててもいいだろう。

高い目標を達成できる人だけが素晴らしいというわけではない。それぞれが自分に合わせたハードルをクリアして目標達成できればいいのだ。一足飛びに駆け上がろうとしてつまずいたら元も子もない。**少しずつ階段を上がっていけばいい**のである。

007

ブレずに進むには「何のために?」が欠かせない

集中力が持続しないことの理由のひとつに、目的を見失うということがある。

何のためにそれをやっているのか、最初のうちははっきりしていたのに気がついたらそれが見えなくなっている。目的地がわからないから集中力も忍耐力もなくなるし、モチベーションが失せてしまうのだ。

だからそんなときは一度立ち止まって、あらためて**「何のために、それをやっているのか?」という目的をとらえ直す**といい。目的が明確だと信念が生まれ、集中力も増すからだ。

ただし、目的といっても目先の目標だけでは足りない。

たとえば、「○○大学に合格する」という目標では大きなエネルギーにはならない。大学受験に合格するかどうかは、ある意味では受験テクニックの問題であり、単純にいえば受験勉強をしたかどうかの問題にも関係する。

それをクリアすることを目的としてしまっては、本当の意味でのモチベーションは上がらない。大切なのはその先にある、いわば**究極の目標**だ。

「○○大学に入って、○○の勉強をし、卒業したら○○をして、そして世の中に貢献したい」というように、大きな視点に立って目標をとらえ直すのだ。

誰にとっても、「今」が苦しくて大変なのは同じである。しかし、それがわかっていて始めたのだ。それは、いったいなぜなのか、自分はどこに行きつきたかったのか、そのことをあらためて自覚し直すのだ。

大きな目標を意識して見直せば、たった今苦しんでいることや迷っていることも吹っ切れるし、思わぬ力が発揮できるものだ。

あくまでも**大きな視野に立って「何のためにやっているのか」を今一度確認し**てみよう。そうすれば、ブレることなく目の前のことに集中できるはずだ。

008

最短で目標達成するには「ハードル」の上げ方を変える

有名な心理学の法則を利用したテクニックに、「フット・イン・ザ・ドア」というものがある。

これは、小さな要求を繰り返してだんだんそのハードルを上げていき、いつの間にか大きな要求を相手に呑ませるという心理術なのだが、このやり方は勉強法にも応用できる。

いきなり1000ページの本を読もうとしても腰が引けてしまったり、まだまだ残っているページが多いと思うとつい億劫になってしまうものだが、今日は10ページ、明日は15ページというように、少しずつ負荷をかけていくことで気負わずに始められるうえに続けやすくなる。そして、いつの間にかあんなにあったページも残りわずかということになる。

とくに、大学受験や国家資格試験など、覚えることも膨大で難易度も高いようなミッションに取り組む場合、まず**小さなことから始める**という方法を覚えておきたい。

勉強を始めるときは、やる気に満ち溢れているもので、ついハードルの高い参考書などを選びがちだ。しかし、いきなり難しいものを見ても結局挫折してしまう可能性が高い。

遠回りをしているようでも**自分の能力に合わせたことを確実にこなし、理解できたら少しハードルを上げる**。その繰り返しをキープできれば、どんなに遠い目標であっても確実に近づいていくことができるだろう。

「大事の前の小事」という格言にもあるように、小さなことを軽んじたら大きなことは成し遂げられない。簡単にできるように思えることを丁寧にやり遂げ、少しずつ難易度を上げていくのが、目標を確実に達成する最適解のひとつなのだ。

009

目標設定は、結果より「プロセス」から考える

継続は力なりというように、勉強は続けてこそ価値がある。しかし、続けるのが容易ではないのもまた真実だ。

やみくもに勉強するよりも何らかのロードマップやマイルストーンを念頭に置いて計画を立てるほうがいいのは当然だが、あまり好きではない分野や不得意な科目を勉強するときは、継続しやすい工夫をするのがコツだ。

そのためには、**結果よりも過程を重視する**やり方をしたほうがいい。

「次のテストで90点以上をめざす」という目標よりも、「テストまでに毎日2時間勉強する」「練習問題を１００問解く」という目標のほうが、達成度が目に見えやすい。仮に試験の点数が振るわなくても、とりあえず目標はクリアしたという達成感を得ることができる。

苦手な分野で成績を上げることはなかなか難しいものだが、**勉強した時間や解いた問題の数が目標**なら、どんな人でもやる気さえあれば達成することができるだろう。一定の達成感が得られれば、次のテストに向けて「もう一度頑張ろう」という気持ちになれるのだ。

理解のスピードは人それぞれで、必ずしも短期間で結果を出せる人ばかりではない。だからこそ継続するということが大切であり、あきらめずにコツコツ続ければ、必ずどこかのタイミングで努力は実を結ぶはずだ。

また、プレッシャーに弱いという自覚がある人にもこのやり方はオススメだ。**一発勝負の点数を目標にしなければプレッシャーも感じにくい**はずで、大失敗して挫折するというリスクは低くなる。

何よりも、じっくりと築いてきた基盤はおいそれとは揺るがない価値があるものだ。一足飛びに結果を求めるのではなく、地道に努力を積み重ねることを意識しておきたい。

010

〝背伸びしたら届くレベル〟を意識するといいワケ

問題解決の手法としてギャップ分析がある。目的と現実の差を把握して、理想に向けた達成のためにどのようなことをすればいいのかを考えていくやり方だ。これは勉強にも応用できる。

まず、**自分の現状を把握して目標との距離を測ってみたい**。

たとえば中学レベルの英語力があるとして、いきなり英検1級取得などという目標設定には無理がある。

目標は**少し背伸びしたら届くレベルのものがちょうどいい**。**いわゆるスモールステップ**である。

このやり方を取り入れている有名な学習教室が公文式だ。公文式の勉強法では、各教科の教材が細分化されたレベル別に用意され、自分の学力に合わせたところから始めて少しずつクリアしていくうちに着実に学力をつけていけるようなしくみになっている。

現状とはかけ離れた大きな目標を立てると、なかなか届かないぶん、勉強の成果も見えづらくなる。成果が見えなければやる気を持続させるのは難しい。その結果、道半ばにして投げ出してしまうことになるのだ。

一方で、あまりに簡単にクリアできる目標もオススメできない。形の上では目標を達成できても満足のいく達成感を得られないからだ。

「彼を知り己を知れば百戦殆《あやう》からず」という孫子の言葉がある。相手と自分の実力を正確に分析できていれば、何度戦っても勝つことができるという意味だ。これは、自分との戦いに置き換えても同じことなのだ。

何かを成し遂げたいときは、自分の立ち位置を正確に把握しなければならない。最終的な目標が少々遠いところにあるとわかったら、その途中にいくつかの小さな目標を設置すればいい。あまりにも簡単に達成できそうなら、もう少し高いレベルの目標設定をし直してみるといいだろう。

011

目標設定を小分けにして、ゴールまで一気に攻略せよ！

１０００ピースのジグソーパズルを組み立てるとしよう。やみくもにピースを置いていっても、なかなかパズルを組み上げることはできない。そこで、ピースをいくつかのブロックに分けてみる。柄でもいいし、形でもいい。それから組みやすい部分ごとに組み立てていくと、いつのまにか全体像が見えてくる。

日本史の勉強をするとしたら、たとえば古代、平安、江戸などの時代ごとに分けて理解していき、ある程度まで勉強が進んだところで通史として組み上げる。そこに文化史や軍事史などのテーマ史、世界とのつながりを理解する外交史などのオプションを加えていくのだ。

途方に暮れてしまうような大きなテーマでも、**細分化することで一気に攻略しやすくなる**ことを覚えてきたい。

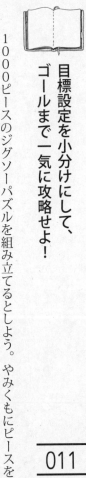

012

打たれ弱い人が挫折しない自分目線の目標の立て方

目標はいつも達成できるとは限らない。努力してもダメなときはあるものだ。

しかし、そこであきらめなければ挽回のチャンスはいくらでも巡ってくる。

しかし、打たれ弱い人は一度の挫折で立ち直れなくなってしまうこともある。

そこで、打たれ弱いという自覚のある人こそ試してほしい目標設定のやり方が**自分目線の目標を立てる**ことだ。

誰かに褒められたい、クラスメイトよりいい成績をとりたいという目標は、他人の目線や他人との比較に価値を置いている。

他人の目線で立てた目標は、クリアできなかったときの評価は「ゼロ」となる。クリアして初めて評価される価値があるものだからだ。

一方で、前回のテストよりいい点をとりたい、毎日○時間テスト勉強をする、という目標は他人の評価に左右されない自分目線の目標だ。

自分目線の目標は、たとえクリアできなくても「あと数点だった！」とか、**「毎日は無理だったけれど、ほとんどの日は実行できた」というように自分なりの評価ポイントを見つけることができる。**

つまり、自分目線の目標を立てることで、完全な失敗という事態を避けることができるし、ある程度の達成感や経験値を得ることができるのだ。

せっかく勉強を始めても、目標設定のやり方を間違えると挫折に向けてまっしぐらに突き進むことになってしまう。誰かと競うことでモチベーションが高まることはあるが、本来、勉強というものは誰かに評価されるためではなく自分のためにやるものだ。

たとえ課題をクリアできなくても、それまでの努力が無駄になるということはけっしてない。そこをしっかり押さえておけば、一度や二度の失敗で挫折することなどなくなるはずである。

013
「過剰行動」を減らし、「不足行動」を動機づけに利用する

勉強しよう、するべきだ、いやしなくてはいけないと思っていても、ちょっとスマホをいじってみたり、テレビにくぎづけになってしまったりという経験は誰にでもあるだろう。誘惑に打ち勝つのは、いうほどたやすいことではない。

幾多ある誘惑をはねのけて勉強時間を確保するには、誘惑自体にかける時間を減らしていく工夫をするのが効果的だ。

行動科学の考え方でいうと、勉強するというのは今の自分に不足しているものを足すために行う**不足行動**だ。不足行動の特徴としては、なかなか効果が見えにくいことが挙げられる。そのせいで、やらなければならないとわかっていてもなかなか実行できないのだ。

さらに、その不足行動の遂行を妨げるのが、**過剰行動**と呼ばれるものだ。ゲー

ム、酒、ギャンブルなど、簡単に結果が出せて満足できることが特徴のひとつで、そのせいでやりすぎてしまう行動であり、これが不足行動の足を引っ張る誘惑になる。

そこで、不足行動に対してちょっとした報酬を設定してみよう。勉強した日は少し高級な酒を家飲みする、試験の結果がよかったら週末はゲームを楽しむ、といったように**過剰行動を減らす工夫をしながら不足行動をする動機づけとして利用する**のだ。

とはいえ、過剰行動をやめるのはなかなか難しいし、不足行動を継続するのにも強い意志が必要だ。

報酬の設定はあくまでもきっかけに過ぎないが、少しずつでも勉強時間を増やすことができれば、好循環を起こすこともできる。

子どもだましに思えるとしても、試してみる価値はあるだろう。

014

最初に描いた〝設計図〟にこだわりすぎてはいけない

テスト前に完璧な勉強計画を立てたものの、結局思ったように実行できずに後悔だけが残ってしまうというような事態はそもそもの計画にも問題がある。

最初の計画は、あれもこれもとつい欲張って、一分の隙もないようなものになりがちだ。理想を高く掲げるのは悪くないのだが、あまりにも高い目標の場合、一度くじけるとあきらめてしまい、再スタートができなくなってしまう。

計画はあくまでも計画であり、固執する必要はないことを肝に銘じておきたい。始めてみて、少し無理があるなとかきついなと感じたら迷わず計画を見直そう。

パーフェクトをめざすあまりに、結局何もできずに終わってしまったら意味がない。一日の終わりに計画を見直して、いつでも**「プランB」を選択できるくらいの緩さを持ち合わせていたほうがいい**のだ。

015

目標に合わせた項目を立ててグラフ化してみる

勉強の目標を立てるときに意識したいのが、**複数の視点で考える**ことだ。

たとえば、英語の勉強をするとして、英検の合格を目標に置くとしよう。当然のことながら、少しでも上の級に合格するのは最大の目標になるだろう。しかし、それだけでは目標達成までのロードマップをイメージしにくい。

大きな目標を英検の合格とするなら、それを達成するために必要な勉強時間、参考書、生活習慣など、具体的なポイントについて目標を立てるのだ。

これは、ビジネスで事業や商品の現状、将来性を分析する**PPM（プロダクト・ポートフォリオ・マネジメント）分析の手法を応用したやり方**で、方眼紙などの上に十字に交差した軸を描いて項目を割り振り、それぞれのバランスを見て分析を行うのだ。

勉強時間や問題集をこなした量、過去問を解いた結果、暗記できた単語の数など、目標に合わせた項目を立てて、それをグラフ化しておく。毎日の勉強の成果を細かくそのグラフに書き込んでいけば、足りないところが一目瞭然になり弱点補強もしやすいはずだ。

また、見やすく記しておくことでモチベーションの維持にも一役買うことになる。とくに、試験などの合格を目標にしていない場合、勉強の成果が見えにくくなるので継続するにはいっそうハードルが上がってしまう。

そこで**勉強していることを「見える化」**すれば、現状でどれだけ力がついているのか、これからの課題はどこにあるのかがわかりやすいので達成感を得られるうえ、次への意欲も湧いてくる。

細かい現状分析を怠ってしまうと、自分の足元が見えなくなって方向性を見失ってしまいかねない。今の自分の立ち位置を意識することで達成率はぐっと高まるのである。

2

自分の力を引き出す モチベーションの原理

016

優先順位の低いものを潔く“間引く”技術

気力も十分みなぎっており、それなりに時間も割いているのに、なぜかちっともはかどらない。知識やスキルが身についている気もしない…。

心当たりがある人も多いだろうが、こんな状況を招いてしまうことがあるとすれば、すべてを一気に習得しようとしているのが原因かもしれない。

初心者がいきなりフルマラソンを走ろうとしても無理なように、物事には踏むべきステップがある。やる気がある人ほど、いきなり長距離を走りたがるのと同じで、向上心が強い人ほど、あれこれ手をつけて一度に10を知ろうとする。

その結果、途中で挫折してしまい「どうせ自分は」と見当違いな自己嫌悪に陥り、モチベーションまで低下させてしまう。これでは元も子もない。

そうならないためには、まず自分の学びたいことをいくつかの項目に分けてみる必要がある。そして、その項目をよく見比べてみるのだ。すると、おのずと何から手をつけるべきかの優先順位が見つかるはずである。

そうしたら、いったん**優先順位の低いものは思い切って間引いてしまおう**。そうすれば、あれこれ手をつけてすべてが中途半端になるような事態だけは避けられる。

たとえば1冊のテキストがあるとしたら、最初にざっと目次をチェックする。重要度の高いものに印をつけたら、まずはそこから読むようにし、それ以外は置いておけばいいのだ。

コツがあるとすれば、「ここで**間引いたものは別の機会にしっかり学ぶ**」と自分の中で決めることだ。そうすれば、間引いたことに対する引け目も感じなくてすむし、実際に学ぶときは、新たな気持ちで取り組むことができるのでより効率的になる。

何よりも優先順位の低いものを間引く作業は、重要なポイントの可視化にもつながる。すべての勉強につながる基本テクニックとして覚えておこう。

017

無駄なく学力を伸ばせる「掛け合わせ効果」

スポーツでも仕事でも、基礎の習得は地味で辛いものだ。勉強においてもそれは同じで、基礎的段階での学びはゴールが見えず焦りも出やすい。

そんなときは、基礎の**「掛け合わせ効果」**を念頭に置いておこう。

たとえば、A、B、Cの3つの基礎を学んだとする。この場合、得られるスキルは3つだけではない。AとBを掛け合わせて得るスキル、BとCを掛け合わせて得るスキルなど、スキルは倍以上に増える。

場合によっては基礎を無視してクリアできるものもあるが、そのやり方は一時しのぎに過ぎない。その点、より多くの基礎を学んでおけば無限に掛け合わせることができるため、いくらでも**応用が効く**のだ。

掛け合わせ効果を実感できればしめたもの。学力は一気に伸びるはずだ。

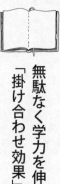

018

「やりかけデスク」で2つの勉強を同時進行できる

試験勉強にせよ、ビジネスの勉強にせよ、1種類のテキストや参考書だけですませることはまれだ。本当に学ぶ気になれば、関連する分野の教材を2つ3つ同時にこなしていくのがふつうだろう。

だが、複数の教材を同じように学んでいくのは意外と難しいものだ。ただでさえ、それまでの勉強で頭が疲れているところで、新たにまったく違う教材に取り組むことになるからだ。脳のスイッチを切り替える作業もしんどければ、いったん切れた集中力を再び高めるのもまた至難のワザだ。

そこで試してみてほしいのが、自宅に**教材ごとの勉強場所を設定する**やり方である。

書斎や自室、寝室のデスク、リビングのパソコンデスクやダイニングテーブルの一角など場所はどこでもいい。教材の数だけスペースを確保するのだ。

そのうえで、どこでどの勉強をするかを決めて、その勉強はそこだけでやるようにする。そして、中断するときは**テキストを開きっぱなしにして「やりかけ」の状態にしておく**のだ。

この方法を実践して得られるメリットは、勉強に飽きても場所を変えることでリフレッシュした状態になれること。そして、そこで決まった勉強をすることで自動的に脳のスイッチが切り替わり、集中力を引き上げやすくなることだ。

また、どの場所もやりかけにしておけるので、教材を入れ替えるときに発生する「次はどこからだっけ？」とページを探す作業も省ける。

ちょっとした手間ではあるが、この作業でつまずくとイライラして意外とやる気がそがれるものなのだ。

もちろん、場所を変える合間にはコーヒーを飲むなど休憩を挟めばよりリフレッシュして取り組める。脳を新鮮な状態に保つのは、勉強法においては基本中の基本なのだ。

019

生活サイクルの中に読書時間をあらかじめ組み込んでおく

電車に乗っているときの暇つぶしとして真っ先にスマホが挙げられるが、ひと昔前までの車内では新聞や雑誌、文庫本を開く人がたくさんいた。

もちろん、今でもスマホで小説を読んだりニュースサイトをチェックしたりしている人も多いだろうから、単にツールが変わっただけともいえるが、統計的にも日本人の読書時間は極端に減少しているというデータもある。

勉強のために本を読まなくてはならないのに、ついスマホを開いて違うことをしてしまうという人も多いだろう。

こういう場合、大事なのは誘惑に負けない意志や勉強に対する本気度などと、つい精神論に傾きがちだが、そんなものより手っ取り早い方法がある。それは、**読書そのものを1日の行動パターンに組み込む**ことだ。つまり、歯磨きや入浴などと同じように習慣化させてしまうのである。

どこに組み込むかはその人のライフスタイルしだいだが、まとまった時間でなくても通勤電車や昼休み、就寝前など、いくつかに分けてもいい。

それぞれ20分程度の時間が取れれば、1日24時間のうち少なくとも1時間は読書に充てられる計算になる。そこまでぶ厚い小説でなければ、3〜4日で1冊読み切るくらいの読書量は確保できるだろう。

ちなみにテキストはデジタルでもいいが、ネット環境があるとついメールをチェックしたり、ゲームをしたりしてしまうので、できれば書店で**本を買って持ち歩く**のが望ましい。スマホをしまって、あえて紙の本を開くことで自然と読書モードになれるという利点もある。

努力ではなく、ルーティンにしてしまうテクニックは読書以外にも応用が効く。ある程度続けて習慣化すれば、今度は**本を開かないと落ち着かない**という心境になるだろう。そうなれば、無理なく自然に必要な本を読むことができるというわけだ。

020

理解度がみるみるアップする「優先順位」の法則

これは雑談の定番だが、ショートケーキのイチゴはどのタイミングで食べるだろうか。「甘いものはちょっと…」という人は、弁当の中の好きなおかずに置き換えてもいい。

好きなものは何よりも先に食べるという人、好きだからこそ最後まで楽しみにとっておくという人、端から食べ進めて流れでそのまま食べるという人とさまざまだろうが、もちろんこれに正解はない。

勉強法と無関係な話だと思うなかれ、じつはここに大事なヒントが隠されている。自分なりに真面目に勉強していても、時間の割に成果を感じない、理解力が上がらないということがあるが、そんなときは**勉強の優先順位を見直す**といい。

ただし、見直すポイントは学習効果や効率などではなく、**シンプルに自分の好**

き嫌いで決めていくのだ。

たとえば、理系の要素が強い勉強と、文系の要素が強い勉強を同時にこなさなければならない場合、自分の苦手なジャンルはどうしても呑み込みが悪くなるため脳も疲弊してしまう。

もし今、苦手なジャンルを先にやっているのであれば、はかどらないのはそれが原因かもしれない。順番を入れ替えて、自分の得意なジャンルから手をつければ事態は好転する可能性はある。

得意な勉強は気分が乗るので、時間を効率的かつ有意義に使うことができる。脳にも余力が残るので、苦手な勉強に移ったときにまだモチベーションも保たれているのだ。

だが、ショートケーキのイチゴと同じで、好きな勉強をどの順番でやるかは人それぞれだ。なかには脳がもっともフレッシュなうちに苦手な勉強をこなしたいという人もいるだろう。

まずは、自分がどちらのタイプなのか試してみてはどうだろうか。

021

締め切り時間を2割短くすると、頭の回転速度が上がる

勉強をする時間と成果は比例するかと問われれば、その答えはノーである。職場にも残業などいっさいしなくてもきっちり結果を出す人がいるように、集中力を上げて中身の濃い勉強をするのに時間の長短は関係ない。

では、その集中力を引き出すにはどうすればいいかといえば、**終わりの時間をきっちり決める**ことだ。

自分が今日やろうとしていることから、ざっくりと所要時間を割り出す。ポイントはその**目安の時間から2割程度短い時間で設定する**ことだ。たとえば1時間で終わりそうな勉強なら、終了時間は50分後くらいを目標にするのである。

勉強時間を少し短めにすることで、自然と脳の回転速度もアップする。気づけば集中力もグッと高まるのだ。

022

「50分勉強したら休む」のはなぜ頭にいいのか

長い時間、机に向かっているとだんだん集中力が途切れてきて効率も落ちてくる。これを自らの性格とあきらめているなら大きな誤解だ。ご多分に漏れず、たいていの人の集中力はもってせいぜい1時間程度である。

大事なのはこうなる前に休憩を取ることだ。しかも、できれば**頭を空っぽにする**ことをおすすめしたい。

そのためにはコーヒーでも飲んで、とにかくボーっとすることだ。このとき、目をつむってしまうと、その直前まで取り組んでいた内容を反芻したり、読んでいたものが脳裏に浮かんで脳が休まらない。コーヒーを淹れるなど違う作業をやりながら、窓の外など違うものを見るようにすると頭がリセットされるのだ。

勉強50分、休憩10分。このサイクルを習慣にしよう。

023

潜在意識を動かす原動力の見つけ方

「今度こそやめる」「今度こそ痩せる」――。そう心に誓って禁煙やダイエットを試みては失敗を繰り返している人はいないだろうか。

タバコをやめたい気持ちも、体重を落としたい気持ちも本物なのにどうしても長続きしない。その理由は、やはり**モチベーションが100パーセントに達していない**からだ。

禁煙もダイエットも意志が強くなければ成功しないものの代表格のようなものだ。ほんの少しの心のスキが甘えとなり、自分の意志をぐらつかせてしまう。

勉強も同じで、いくら心で「やるぞ!」と誓ってもそれを持続するのは難しい。人間の心はそこまで強くないのだ。

では、自分の本気を持続させるにはどうしたらいいのだろうか。さしあたって簡単に実行できるのが**決意を言葉にする**ことである。

たとえば、2週間でテキストをマスターしなければならないとすれば、そのまま「2週間は脇目もふらずに集中する！」と口に出す。

一度ではなく、**机に向かうたびに声に出す**。そして、自分だけでなく家族や友達に向かって言ってもいい。

目標を口に出して宣言すると、知らず知らずのうちに自分の意識に訴えかけられる。つまり、この**「アナウンス効果」**によって意志はより強固なものになり、絶対やり遂げるという気持ちにもさせてくれるのだ。

また、周囲にいる人たちに対して言葉にすることで、いい意味で後に引けない状態もつくられる。人によっては挫折してバカにされたくないというプライドが、何よりのモチベーションになるという人もいるだろう。どんな世界でも有言実行の人はリスペクトされるものだ。

誰かに言わなくても、自分に宣言することで自分自身をその気にさせることもできる。つまり、一種の暗示的効果もあるのだ。

024

勉強で「下手な鉄砲を撃つ」のは得か損か

たとえば試験勉強などで、過去問をひたすら解いていくというやり方は常とう手段である。実際、それで出題の傾向がつかめたりするのも事実だ。

だが、大人の勉強では**量より質を求める**ほうがいい場合もある。というのも若いころと違って、体力も知識の吸収力も落ちているからだ。

ある程度の年齢になったら、あらかじめ**学ぶべきポイントを分析して、そこに焦点を当てて理解を深めていく**ほうが確実に身になる。「下手な鉄砲も数撃てば当たる」は間違いではないが、それは時間の浪費にもつながる。

勉強が本分である中高生と異なり、大人は時間のやりくりも限られる。同じ学ぶにしても、時間を有効に使うことが重要なのだ。教材やテキストを選ぶときなども、これを念頭に置いておくことをお忘れなく。

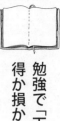

025

三日坊主が治らない原因はどこにあるのか

勉強したいという意欲に立ちはだかる大きな壁といえば、なんといっても三日坊主だろう。

特に子供の頃から何をやっても飽きっぽくて続かないという記憶の持ち主には難敵中の難敵だ。これを克服するには、まずその原因を知る必要がある。

「三日坊主は性格」のひと言で片づけられがちだが、もう少し深掘りすると誰にでもある深層心理が影響している。それは心理学的には**「現状維持バイアス」**と呼ばれるものだ。

現状維持バイアスとは、新しい変化を恐れるあまり、どうにか今の状態を保とうとする心理のことだ。たとえば、好きな人がいて告白したいが、今の関係が壊れてしまうことが怖いから実行に至らない――。これなどは典型的な例といえるだろう。

ふだんの生活のルーティンに勉強という新たなルーティンが加わるのは、脳にとっては新たな変化であり未知なる経験だ。だから最初はそれを受け入れず、抵抗したくなる。従来のルーティンを守ろうとするのである。

だが、**ひとたびルーティンに組み込まれてしまえば、今度はそれを現状維持しようとする**。つまり、脳がその段階にたどり着くまで粘り強く習慣化させようとすることが重要なのだ。

その難関のひとつが三日坊主というわけだが、その原因が飽きっぽい性格からくるものではないということさえ理解できれば、自分の意志でその壁を越えることは可能である。少なくとも「また三日坊主に終わるんだろうな」という間違った思い込みで、やる気をなくすことはなくなるはずだ。

こうして〝3日の壁〟を越えたら、次は5日、次は1週間と、**少しずつステップを踏んでいく**と達成感も味わいやすい。たとえ、日によって勉強時間が少なくなっても、毎日やり続けて脳に認識させることが重要だ。

026

スランプに陥ったら、自分だけの脱出術で復活する

どんなに優秀なスポーツ選手でも悩まされるのがスランプだ。体の不調、モチベーションの低下、環境の変化など理由はさまざまだが、その悪い状態から抜け出せずにもがくケースも多い。

だが、アスリートでなくてもスランプは起こりうる。

勉強でもこれまでコンスタントに出せていた成績が急に悪化して、なかなか浮上できないことはある。原因はおおむね精神面からくるものだ。

たとえば、ひとつミスをやらかせば、その再発を恐れるあまり慎重になりすぎたり、臆病になったりする。また、第三者に自分のやり方を批判されたりすれば、何を信じてやればいいのかわからず、方向性を見失ったりする。

いずれにしても、問題はいかに早くそのスランプから脱出するかだ。

簡単なのは、**自分だけの脱出方法をつくっておく**ことだ。「この場所に行けば元気になれる」「この音楽を聞けば勇気が湧いてくる」「これを食べれば嫌なことは忘れる」など、気持ちが安定するものをひとつでいいから持つようにする。

まるで子供のおまじないかと思うかもしれないが、自分と向き合い過ぎるとますます袋小路に入ってしまい、より脱出しにくくなる。それよりも、自分の責任の範ちゅうとは違うところで解決し、メンタルをリセットするほうがよほど立ち直りやすいのだ。

そういう意味では「今週は雨が続くせいで調子が悪いんだ」などと、自分には**関係ないものに〝責任転嫁〟してしまう**のもひとつの手だ。ふつうに考えていれば論点はズレているのだが、こうすれば「天気がよくなれば気分もよくなり、勉強にも身が入るはず」と切り替えやすい。

コツコツと努力を積み重ねるマジメ人間ほどストレスになりやすい。「スランプは誰にでもあるものだ」と気軽に構えておくくらいでちょうどいいのだ。

027

寝起きから頭をフル回転させる「90分睡眠法」の極意

勉強の時間を充実させるためには、質のいい睡眠が欠かせない。どれだけやる気があっても、寝不足の状態では身につくものもつかないだろう。

ベストな睡眠時間は人によってまちまちだ。3～4時間も寝れば十分というショートスリーパーもいれば、8～9時間寝てもまだ足りないというロングスリーパーもいる。

いずれにせよ、すっきりとした目覚めに**重要なのは睡眠時間よりもタイミング**なのだ。

そこでだが、「レム睡眠」と「ノンレム睡眠」という言葉を聞いたことはないだろうか。

一般に眠りの深さは一定ではなく、**眠りの浅いレム睡眠と、眠りの深いノンレ**

ム睡眠を繰り返している。その周期は90分といわれており、このリズムに合わせて眠ることが良い睡眠につながるのだ。

では、どちらの睡眠のときにスッキリ起きられるかといえば、やはり浅い眠りのレム睡眠時である。逆に「今日はやけに目覚めが悪いな」と思うのは、たいてい深い眠りについているノンレム睡眠のときにアラームが鳴る日なのだ。

気分よくスッキリ起きられるようにするためには、就寝から3時間後、4時間30分後、6時間後、7時間30分後…というように、レム睡眠の周期である**90分の倍数でアラームをセットする**といい。そうすれば眠りが浅いタイミングで起床できるのだ。

最近では、スマホを枕元に置いておけば寝返りなどの動きから**睡眠の質をセンサーで感知**し、ベストなタイミングで起こしてくれるアプリまで登場している。

効果のほどは個人差があるだろうが、不眠や寝不足が原因で勉強に身が入らないという人は試してみる価値はあるかもしれない。

028

覚えておきたい勉強の正しい中断法とは？

勉強には挫折がつきものだ。何がなんでも続けようと一大決心をして始めたことを中断してしまうと、たいていの人は大きな挫折感を味わい、自信を失うものだ。しかし、**中断したらそこからまた再開すればいい**のだ。

リスタートを切ることは恥ずかしいことではない。中断したからといって、すべてがゼロに戻るわけではない。それまでに積み上げてきたものは残っているのだ。たった一度の挫折で、それをなかったことにするのはもったいない話である。

大切なのは、何度でも再開する意識と熱意である。

最終目標は変わらない。やり方も十分にわかっている。であれば、そこからまた目標に向かってリスタートする。それもまた〝継続〟である。再開する気持ちがあるかどうかが、目標達成の大きなカギなのだ。

029

そのメールチェックの時間がもったいない

メールのチェックが勉強の邪魔になっていることに気づいたら、1日に3回、メールチェックのための時間を設けるようにしたい。その時間だけネットをつなぎ、それ以外はオフラインにするのだ。これで勉強もはかどる。

電話と違ってメールは都合のいい時間に読めて、都合のいい時間に返せるという点が便利なはずだ。ところが、つねにオンラインにしておくと、メールの着信がその都度わかるので、つい、その対応をしてしまい、それに時間をとられがちだ。集中力もそがれるし、これでは本末転倒だ。

そこで、**1日3回、メールのチェックの時間を決める**のだ。そして、それ以外はオフラインにする。決められた時間以外はメールのことは考えないというルールにすれば、勉強へのモチベーションも維持できるのである。

3

読解力のある人が最後は勉強を制す

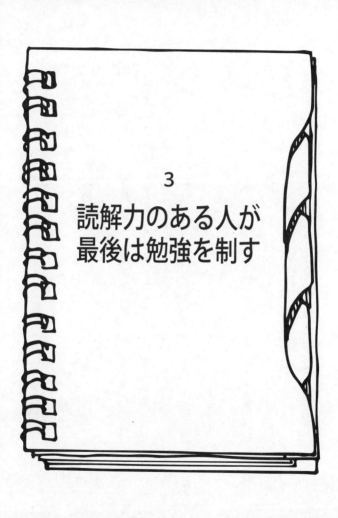

030

複数の本を〝自分目線〟で再編集して使い込む

今までに学んだことのない新しい分野の勉強を始めようとするとき、講座やセミナーに通うなどの選択肢もあるが、とっかかりとしてまず書店に足を運び、関連書籍や参考書、問題集などを買ってみるのもひとつの手である。

しかし、自分が欲しいと思っている情報が1冊にまとまっているような本に出会えることはめったにない。どうしても1冊では物足りず2冊、3冊と買い込んでしまうことになる。

そうなると、たとえば電車での移動中に勉強しようと思っても複数の本を持ち歩くのはかさばるし、1冊ずつだと情報として不十分…というジレンマに陥ってしまったりするものだ。

そこでおすすめなのが、本を**〝自分目線〟で再編集する**ことだ。

やり方としては、まず買った本すべてをしっかりと繰り返し読み込むことから始める。そして、自分にとって**必要な章やページを吟味して、その部分をページごと切り取る**。

それらをまとめてホッチキスやダブルクリップでしっかりと綴じて、**自分だけの資料&テキスト集をつくる**のである。

こうしておけばいつでも必要な情報だけをコンパクトに持ち歩くことができて、電車での移動中はもちろん、少し早めに待ち合わせ時間に着いたときなど、ちょっとしたスキマ時間にサッと広げて勉強することができる。

最初はページを切り取ることに抵抗がある人もいるかもしれないが、買った本はとことん使い込んでこそ価値がある。しかも、一度カットしてしまえばもう古本として売ることもないのだから、書き込みやマーカーを入れるのに臆することもない。

ボロボロになるまで使い込めば、抜群の勉強効果を実感することができるはずだ。

031

起承転結を逆算すれば、難しい本もラクラク読める

小説や評論、エッセイなど本をよく読んでいるという人でも、ちょっと古い本になると読みづらいと感じることがあるのではないだろうか。

たとえば、昭和の中頃に出た本でも一文が長かったり、漢字が多かったり、今ではほとんど使われない言い回しがあったりもする。

このような「難しいな…」と感じる文章というのは、正直読むのが辛い。読んでもほとんど意味がわからないから興味が持てず、興味が持てないから眠くなる…。どれだけ時間をかけたとしても、これでは勉強している状態とはいえないだろう。

そんな本を攻略する助けになるのが、**書き手の文章パターンを分析しながら読む**という方法だ。

ひと口に文章といってもその書き方は同じではなく、多少なりとも書き手のクセが出るものだ。最初に結論をズバリと書いておいてから詳細を掘り下げていくパターンもあれば、読み手に先に知っておいてもらいたい周辺情報から書き始めてから、徐々に核心に迫っていくという書き方もある。

そこで、一字一句丁寧に読み始める前にまず広い視野で文章をざっと眺めて、どういう文章構成になっているのかを見極めておくのだ。

すると、どんなに**長い文章でも、「ここがキモ」という部分が見えてくる**。まずはその部分をしっかりと理解しておけば、なぜそこにたどり着くまでに長々と文章が連なっているのか意味がわかる。つまり、**起承転結を逆算して読んでいく**のだ。

本の読み方にルールはない。書き手の文章パターンがわかるようになると、今までとっつきにくくて敬遠していたような本にもチャレンジできるようになり、見識を広めることに役立つのだ。

032

「理解している」と「理解していない」の境界線とは？

テストでいい点数をとるコツは、過去問などをやってみて不正解だった問いを見直すことだ。

どこが間違っていたのか、何がわかっていないのかを知り、この問いはもう大丈夫というレベルまで頭に叩き込む。そうして一問ずつ潰していくことで、盤石の態勢で本番にのぞむことができる。

同じように、文章の読解力を高めるためには、読んで**理解できていない部分を洗い出すことから始める**といい。

たとえば、目の前に馴染みのない内容の資料があるとしよう。その中には、自分がすでに「理解していること」と、まだ「理解していないこと」が混在しているはずだ。

理解していることはナナメ読みしても理解できるが、はじめて見聞きする専門的な情報などは、一行一行じっくりと読み進まなければ納得できないこともある。

そこで、本格的に資料の読み込みに入る前に、文章を**「理解している部分」**と**「理解していない部分」に分ける**作業をしたい。

たとえば、理解していない部分をマーカーで囲むなどして、視覚的にひと目でわかるようにしておくのだ。知らない単語もマーキングしておくといい。

そうすれば、すでに理解していることはとりあえず置いておいて、理解していない部分を読み込むことに集中することができる。知らない単語や専門用語なども意味を調べて、資料の空白に書き込んでおくといい。

このようにあらかじめ**〝下準備〟をしておいてから、改めて文章全体を読んでみる**のだ。そうすると、そこに書かれている内容がすんなりと、より深く理解した状態で頭に入ってくるのがわかるだろう。

正しくインプットした情報は、ワンランク上の理解力をもたらす。面倒がらずに、理解していないことは一つひとつ確実に潰していきたい。

033

読む前に「読む目的」を貼り出してみよう

単に楽しむためだけの読書ならば、何の準備もせず、ひたすら本の世界に没頭すればいい。

しかし、専門知識を学ぶ場合など何かを知るために本を読む場合は、その目的をつねに意識して読んだほうがより効率的な読書になる。そこで、読む前にやっておきたいのが**「読む目的」を書く**ことだ。

難解で簡単には理解できない本の場合は文字を追うことばかりに集中してしまい、読んでいる目的を忘れてしまう。

それを防ぐために、読む目的を書いてどこか**目につくところに貼っておく**といい。「○○のしくみについて」などと書いておけば、ブレずに読み進めることができるのだ。

034

〝軽い本〟と〝重い本〟を一緒に読む「並行読書法」

専門的な文章を理解しながら読み下せるようになるには、やはりベースとなる知識が必要になる。

たとえば、まったく門外漢の専門知識やテクノロジーについて知ろうとするとき、いきなり専門書に手を出したところでスラスラと読めるものではない。

インターネットで検索すれば、かなり専門的な用語でも意味を説明するサイトが見つかったりもするが、これらもある程度の知識がある人向けに書かれていて何のことだかわからないことが多い。

そこで役立つのが、『はじめての○○』や『いちばんやさしい○○入門』といった**初心者向けの入門書**だ。このようなタイトルの本は、その名の通りまったくの素人にもわかるように専門的な内容が平易な言葉で説明されている。

また、研究の成り立ちや研究者についても、一般の人でも興味が持てるように説明されていたりもするので、専門的な内容であっても身近なものに感じることもある。

専門用語も丁寧に解説されているので、まずはこちらを読んで知識を頭にいれておくと、理解をするための糸口になるのだ。

また、もっと噛み砕いた説明が必要だと感じたら、**子供向けの科学の本なども助けになる。**

特に、必要に迫られて苦手分野の勉強をしなくてはならない場合などには、マンガで読める『○○のひみつ』といったシリーズがおすすめだ。これなら、やる気を引き出すこともできる。

そして、いざ専門書を読む際には**入門書を片手に2冊を並行して読む**ようにする。この方法なら、どんな専門的な世界でも入口のハードルを下げることができるのだ。

035

本は「あとがき」から読むとなぜ効率的なのか

はじめて読む本を手にしたら、表紙を開いて目次をめくり、「はじめに」や「エピローグ」に目を通し、1章の1行目から読んでいくという人は多いのではないだろうか。

ネタバレは絶対に避けたい小説などは、もちろんこのように律儀に最初から読むべきだが、そうではない実用書やビジネス書などであればまずは**「あとがき」から読む**ことをおすすめする。

なぜなら、あとがきは著者本人が書いた解説なので、その本の企画意図や内容が端的にまとめられているからだ。文字通り本文の後に書き添える文章だが、**自分が求めている内容かどうかを確かめるのにもってこい**の部分でもある。

たとえば、「○○を学び始めた高校生にもわかりやすいように工夫した」などと書いてあれば初心者向けの本であることがわかるし、「ある程度、経験のある人にさらに知識を深めてもらいたい」とあれば、中級者向けなのかなと推測できる。

また、「ジャーナリズムでなければ、エンターテイメントとも違う、そのちょうど中間を対象にした」と書いてあれば、それだけでその本を編集した企画意図もわかる。

珍しいパターンでは、著者がこれまでどんな仕事をしてきたかといった経歴と、今後の仕事について書いていることもある。

それを読めば、どんな使命感を持って書かれた本なのかもわかり、本文を読んだときにより心に響くのではないだろうか。

あとがきのあとに本文を読むというのは、タネ明かしを見てからマジックを観賞するようなものだが、どんなタネを使っているかを知っていると見方が変わるということもある。

あとがきから先に読むというのはけっしてフライングではないのである。

036

文章は「タテ読み」してブロックでとらえる

文章は一字一句丁寧に読み進めなければならない、という先入観があると本を読むのが苦痛になってしまう。

しかし、会話をしているときのことを思い出してみると、相手が発した言葉や単語の意味がすべて理解できていなくても、言いたいことはわかるし、それに対して言葉を返すこともできる。

同じように、文章を読む場合も一字一句漏らさずに理解していなくても、書いてある内容を理解することはできる。素早く、たくさんの情報を収集するためには、丁寧に読むよりもむしろ**ザックリと読んだほうが内容が頭に入りやすい**こともあるのだ。

ところで、ザックリと読むといえば「**ナナメ読み**」という方法が一般的だ。これは、あまり核心に触れていない部分を読み飛ばして、見出しや情報のキモとなる部分だけを目で追っていくやり方だ。

もちろんこの方法でも速く読めるが、さらに「そこに何が書いてあるか」を把握するために読むのであれば**「タテ読み」**という方法がおすすめだ。

これは**ヨコ書きの文章を読むときに視線をタテに動かす**やり方で、やってみるとわかるが、タテ読みすると文章が数行まとめてブロックで視界に入ってくる。そのブロックの中に含まれている単語などから内容を把握することができるのだ。

ちなみに、スマホ用につくられたサイトの文章は、ほとんどが1行20文字程度なので、タテ読みの練習にピッタリだ。1行が20文字程度の文章なら、すぐにブロックでとらえることができるようになる。

最近の人は長文を読まないなどといわれるが、読まなくてはならない状況になったときに困らないよう、ふだんから長文の記事などをタテ読みする練習をしておくといい。

037

視野を広げた「眺め読み」なら早く丁寧に読める！

読むスピード感をキープしつつ、タテ読みやナナメ読みよりも丁寧に読みたいという場合には文字を〝塊〟で眺めるという方法もある。

これも1文字ずつ目で追うのではなく、**1、2行くらいの塊を眺めるように読む**。ぼんやりと紙面を眺めるように文章を見つつ、ヨコ書きの文章なら左右に、タテ書きの文章なら上下にゆらゆらと視線を動かしているだけで、だいたいの内容が頭に入ってくるのだ。

一見、ボーッと眺めているだけのようだが、重要なキーワードは目に飛び込んでくる。その部分を丁寧に読み直せば、大事なポイントを見逃すこともない。

続けていればしだいに大きな塊を一度に眺められるようになり、さらにスピードアップすることができるのだ。

038

複数の新聞の情報を最短の時間でモノにする技術

新聞は毎日決まった1紙だけを読むよりも、複数を読んだほうがいい、とある著名なジャーナリストはいう。

それは、新聞によって政治的ベクトルが保守的だったりリベラルだったりするため、同じテーマを扱っていてもまったく論調が異なっているからだ。

そのため、毎日決まった新聞だけを読んでいると、どうしても偏った考え方になってしまう。

世の中にはいろいろな考え方があるという視点が抜け落ちてしまったり、自分で考えるクセが衰えてしまうという欠点もある。

だからこそ複数の新聞を読むといいのだが、忙しい現代人には毎日何紙もじっくりと読み込んでいる時間はない。

そこで、新聞を読むのに長時間を費やすことなく、1日に10紙の内容に目を通すために、とりあえず**1紙だけに集中して、じっくりと読む**時間をつくることを実践してみてはどうだろうか。

テレビの朝の情報番組では、朝刊の1面をズラリとボードに貼って紹介するコーナーがあるが、あれを見ているとわかるように大手新聞社の新聞で取り上げられている大きなニュースは、スペースの大きさの違いはあってもだいたい同じといってもいい。

だから、とりあえず1紙をしっかりと読み込んでおけば、**そのほかの新聞は見出しだけを拾っていけばいい**のだ。それだけで、各紙がどのような視点でニュースを伝えているのかがわかる。

あまりにも正反対の論調の記事があれば、なぜなのだろうと疑問も湧くし、それをきっかけに自分なりに考えを深めることができるのだ。

限られた時間のなかでたくさんの情報を集めたかったら、このやり方が最も効率的だといってもいい。

039

いまの自分に必要な本を簡単に選べる3つのチェックポイント

本はインターネット通販で買うという人が増えている昨今だが、やはり街の書店は必要不可欠な存在である。

たしかにリアルな書店ならきちんと中身を見ることができるので、失敗のない買い物もできそうな気がする。

しかし、いざ書棚の前に立ってみると似たようなタイトルの本が何冊も並んでいて、いったいどれを買えばいいのか判断できないこともある。平積みになっていて、いかにも売れていて、よさそうな本だからといっても自分に合っているかどうかもわからない。

そんなときには、次の**3つのポイントをチェック**すればハズレを買ってしまう心配はない。

まず、気になる本を数冊選んだら、はじめに**「著者のプロフィール」を見比べてみる**ことだ。同じ内容の本でも著者が違えば難易度は変わる。

たとえば、ビジネス界で活躍している著者であれば実践的な内容になっていることが多く、その世界の重鎮が書いている本なら歴史的背景も含めた重厚な内容である可能性が高い。

そして次に、**「あとがき」を読む**。前述したようにあとがきにはその本の内容が端的に書いてあることが多いので、ここを読めば全体像が見えてくる。

こうして、あとがきを読んだら**「目次」を見る**。目次はその本に収録されている内容の見出しなので、どういう構成になっているかが一目瞭然である。

これら3ポイントをチェックするのにかかる時間は、1冊につき1分もあれば十分だ。

実物を手に取ることができるのはリアルな書店ならでは。次々と気になる本を開いてみて、最もやる気の出る一冊を選択したい。

040

難しいテキストの読み方①
三段階スパイラル方式

小難しい内容の資料に目を通しているとき、ふと読んでいるのに頭に入らないと感じることはないだろうか。

必死で読んでいるつもりなのに書いてあることはほとんど理解できず、ひたすら字面だけを追って無駄な時間を過ごしてしまうということも少なくない。

そんな難解な文章は、時間をかけて何度も読み返すという格闘を繰り広げるよりも、**「３段階スパイラル方式」**を試してみるといい。

この方法なら読んだ文章の内容を短時間で、しかもしっかりと頭に入れることができるのだ。

「３段階スパイラル方式」はその名の通り、３段階に分けて同じ文章に目を通すというもの。１つの資料を３回読むことになるので一見時間がかかりそうに思うが、思ったよりも効率的に読みこなせるようになるのだ。

やり方はこうだ。まず、1回目は本を**最初から最後まで読み通して、重要部分にラインを引く**。そして、2回目は**ラインを引いた部分だけをスピードアップして拾い読み**する。

さらに、3回目は**ラインを引いた部分をもう一度、暗記するくらいの勢いで読み込む**。こうすることでその文章がいわんとすることを頭に叩き込むことができるのである。

1回目の最初から最後まで読み通すというのが大変だと思うかもしれないが、重要部分を探し出すというミッションがあれば、ふつうに読むよりも集中力が高まるのでそれほど苦にはならない。それに、はじめに少しでも苦労しておくと、その後は関連する資料の理解度も驚くほど速くなる。

「この資料は手ごわい…」と感じたら、ぜひ試してほしい方法だ。

041

難しいテキストの読み方②
書き出して図式化

文章がスラスラと読み進められない原因のほとんどは、知らない用語が多く使われていることにあるといっていい。

コンピューターが苦手な人がＩＴ専門誌を読んでもさっぱり意味がわからないのと同じで、専門用語などの未知の単語が羅列されていては、ふだんから使い慣れている日本語といえどもさっぱり理解できないのだ。

これを解決するには、**用語を書き出して図式化してみる**ことだ。

まず、わからない用語を書き出して意味を調べる。インターネットの辞書や百科事典で検索すれば、たいていの言葉の意味は調べることができる。意味がわかったら、次に書き出した用語が**どんなふうに関連しているのかを考える**。

たとえば、文章の中に「インターフェイス」「ハードウェアインターフェイス」

「ソフトウェアインターフェイス」という用語が含まれていたとしよう。

インターフェイスは「接点」や「接着面」という意味で、モノとモノの間で情報をやり取りすることだが、これにハードウェアがつくとUSBコネクターなど機器と機器を接続するための規格のことをいう。

一方、ソフトウェアがつくと、ネットワークを介してプログラム間のデータのやりとりを行う方法や手順の意味になる。

これらを整理するために、まずインターフェイスを頂点にして3つの用語をトライアングル状に配置し、それぞれを「○」や「□」で囲むのだ。

そして、インターフェイスから下向きの矢印を「ハードウェアインターフェイス」と「ソフトウェアインターフェイス」に伸ばすことで、関係性を示すことができる。矢印以外にも、**「=（イコール）」や「点線」などを使うと関係性がわかりやすくなる。**

このように図式化することで、情報をスッキリと整理するだけでなく、文章も要約する力もつけることができるのだ。

042

難しいテキストの読み方③
ランク分け

1冊の本の中には、自分の知識と経験の有無によって読みやすい章と読みづらい章が混ざっていることがある。

前にも読んだことがある内容や、だいたい知っていることであればサラッと読んでも理解できるが、そうでない部分はかなり努力して読み込まなければならず、そこから先に進めなくなってしまうこともある。

そういうときには、本の中身を**「すぐ読めそう」「読めそう」「読めない」の3ランクに分けてみる**といい。各章の見出しや頭のページを読んでみて判断し、ランクごとに色を決めてふせんを貼っておくといいだろう。

そして、最初に「すぐ読めそう」なところをどんどん読んでいく。それが終わると次に「読めそう」な章を読むのだ。

そんな読み方をしていたら意味がわからなくなるのでは…と心配になるかもしれないが大丈夫だ。

だいたい、どんな本でも章分けされていれば内容は一応章ごとに完結している。それに、読みやすいところから読んでいけば、読めない章の情報も何となくわかるようになる。

そうして、最後に「読めない」と思っていた章を読んでみたら、思っていたよりも理解できたということが起こるのだ。

そこまでくれば、もう一度はじめから通しで読んでみるといい。きっとスムーズに読み進めることができて、その本に書かれていることがすんなり頭に入ってくるはずだ。

たしかに、本は最初のページから読まれることを想定してつくられているが、**読み方に縛りはない**。

小説はもちろんこの限りではないが、ビジネス書などであれば自由に読み進めていっても問題はないのだ。

043

もっと知りたければ、最低でも〝3つの資料〟にあたれ！

資料を集めるというのは意外と難しい作業だ。

たとえば何らかの「勉強法」についての資料を集めようとすると、いろいろな考え方があることに気づく。速度重視で時間をかけずに勉強する、時間をかけて内容を深める、全体的な流れをつかむ、細部の知識にこだわるなど、著者や編集者によっていろいろな価値観があり、内容もそれぞれに異なる。だから、**ひとつの資料だけに頼ってしまうと偏った勉強しかできなくなる。**

コツは、**最低でも3つの資料に当たる**ことである。

いうまでもなく、それぞれ別々の視点や、まったく異なる考え方の資料でなければ意味がない。それらをすべて読み込み、自分の方向性や性格などと照らし合わせることで、自分がめざしている勉強のスタイルが見えてくるのだ。

044

「引用文」に秘められた執筆者の意図とは？

本や雑誌を読んでいるとき、引用文が出てきたら要チェックだ。なぜなら、そこは筆者が最も強調したい重要な箇所だからである。

引用に使われるのは、たいていは研究者や著名な書き手が書いたものの一節である。なぜわざわざそれを引用するのかといえば、筆者が自分の主張や伝えたいメッセージをより深く読者に伝えたいからだ。

客観的な裏づけであったり別の言葉での言い換えであったりするが、いずれにしても筆者は、その点に注目してほしいからこそあえて引用を用いているのだ。

だから読者としては、そのつもりで読むようにしたい。もしも全体の主旨がつかみにくいとか、理解できないと思ったら**引用した部分に注目する**といい。そこにこそ、**書き手が最も伝えたいことが表されている**のだ。

045

「繰り返しフレーズ」はメインテーマを知らせるサイン

本や雑誌、あるいは授業や講義でも、そのテーマ、つまり筆者や話し手が何を言おうとしているのかが伝わってこないことがある。

全体的につかみどころがなく「結局、何が言いたいのか？」と疑問に思ったら、繰り返し何度も出てきたフレーズを思い出すといい。それが間違いなく、本来のテーマである場合が多いからだ。

人はふつう自分が最も伝えたいことに多くの言葉と時間を費やす。それ以外の部分は、話をわかりやすくしたり、面白く盛り上げるための肉づけである。つまり、繰り返されたフレーズこそがメインテーマであり、最も伝えたいことなのだ。

それさえわかれば、全体的にまとまりがないように思える内容でもすっきりと頭に入ってくるはずである。

4
結果に直結する深い理解力の身につけ方

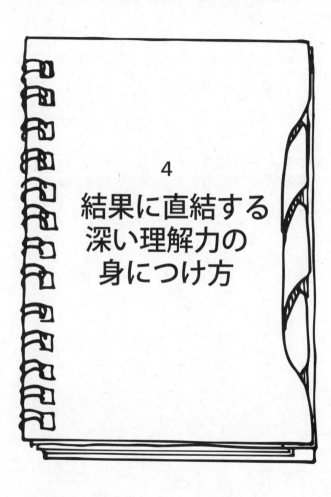

046

わかりにくい文章は、“骨格”を取り出してチャート化する

専門家が書いた研究論文は最先端の知識を得られてとても興味深いものだが、何しろその世界では通じるものの、一般にはわかりにくい言葉が並んでいて慣れてないと読みづらいものも多い。

そのような文章を理解するコツは、文章を図解化することだ。

たとえば、考古学の世界では、出土した土器からその年代を科学的に測定する方法が導入されて時代区分に大きな変化が起ころうとしている…という論文を読んだとしよう。

たしかに興味深い話だが、その測定法などの予備知識がなければサラッと読んで理解できるものではない。

そこで、**わからない部分は何度も丁寧に読んでキーワードを抽出する**といい。

そのキーワードを紙に書き、どう関連しているのかを**チャートにする**のだ。

さらに、測定したときに時代区分を決定づけるとされる物質と、ほかの物質との違いを表にするなど、文章とセットになっていると理解しやすくなるオリジナルの図版を作成する。

チャートや表だけでなく、**関連写真もコピーするなどして添付しておく**とよりわかりやすい。このように図解化することで右脳が刺激されて、文章を読んだだけのときよりもイメージとして記憶に残りやすくなるのだ。

こうしてつくった図解は、理解できたからといってすぐには捨てずに保存をしておくといい。勉強は常に先へ先へと進めばいいものでなく、ときどき以前に学んだことを振り返ってみるとより理解が深まるものだ。

だから、つくった図解がきれいにまとまっていなかったり、チラシの裏に書いたものだったとしても捨ててはいけない。

ファイルなどにはさんでおけば、〝**振り返り学習**〟で必ず役に立つはずだ。

047

ノートは聞いてメモするではなく、「聞く→メモする→考える」

セミナーを受講したり、講演会に参加するなどして、その分野のエキスパートの話を聞くことはいい勉強になる。その場で聞いた話を忘れまいとして、一生懸命メモを取ったりもするだろう。

しかし、ノートは取りっぱなしではあまり役には立たない。走り書きのメモを見直すことはほとんどないし、時間が経ってから見てみると何を聞いて書き留めたのかさえわからなくなってしまうからだ。

では、学んだことをあますことなく自分のものにして、今後に役立てるためにはどうすればいいのだろうか。それにはまず、メモを取るノートを変えればいい。

使うのはふつうのＢ５やＡ４のノートだが、メモを取る前にあらかじめ**１ページを３つのエリアに分割しておく**のだ。

分割のしかたは、

①ノートの下から4分の1くらいのところにヨコ線を引く。

②左端から5センチ内側にタテ線を引く（①で引いたヨコ線まで）。

これでノートの左と下に細長いスペースができる。

この3つのエリアの中で、メモを取るのに使うのは右上の一番広いスペースだ。そして、メモをした内容から浮かんできた関連キーワードや疑問点を左のタテ長のスペースに書く。

さらに、下のヨコ長のスペースには、メモと関連するキーワード、疑問点から考えられることを自分の言葉でまとめておく。

この3ステップを行うことで、ただ**「聞いてメモする」という状態から「聞いて→メモして→考える」ところまで深化させる**ことができるのだ。

これは**「コーネル大学式ノート」**といって、アメリカの名門コーネル大学の教授が学生のために考え出したノートの使い方だ。「考える力」を身につけるうえでも役に立つノートである。

048

理解が深まる「アンダーライン+ひと言コメント」の法則

「これは自分にとってバイブルだ！」と思えるような一冊に出会えたら、それは幸運以外の何物でもないだろう。そんな本は大事に本棚にしまっておくのではなく、いつでもすぐに手に取れる場所に置いておいて何度も何度も読み返してみたい。

そして、この先もきっと誰かに貸したり、古本として出したりすることもない永久保存版になるだろうから、**躊躇なくアンダーラインを引いたり、書き込みもどんどんしていけばいい。**

アンダーラインを引くのは、もちろん感銘を受けた文章やフレーズだ。ただ、あまりにも感銘を受けた部分が多すぎると、気がついたらアンダーラインだらけになっていたということにもなりかねない。

そういう場合には、アンダーラインを引いた部分からさらに引き出し線を引いて、**余白に〝ひと言コメント〟を書いておく**といい。

たとえば、「素晴らしい！」とか「ここ重要」などというように、そのときに感じたことを短く書き添えておくのだ。

もしかすると2度目、3度目に読んだときにはまた新たな発見があり、違う感想を抱くかもしれない。そのときはペンの色を変えるなどして新たにコメントを書き加えるといいだろう。

そうすることで、「ああ、あの頃の自分はこの文章を読んでこんな風に感じていたのか」と思い返し、その本への理解が深まったことを確認することができる。内容の深い本ほど、一度読んだだけでは理解できていないことが多い。何年も経ってから読み返して、まったく新しい本を読んだかのように新たな発見があることもある。

ひと言コメントは、過去の自分の足跡として楽しむこともできるのだ。

049

グラフと表が素早く読み取れる"Z目線"とは？

表やグラフが使われている資料は、たしかに文章だけのものよりも説得力があってわかりやすいのだが、たくさん使われていると文字が小さかったりするのでかえって読むのがストレスになってしまうことがある。

しかし、表やグラフには見方があり、コツさえつかめばそれほど苦ではなく、資料の理解力もアップする。

そのコツとは、**目線の動かし方**だ。

たとえば、グラフのなかでも比較的見やすい円グラフなら、12時の位置から時計まわりに目線を動かすというのは誰でもやっていることだろう。

円グラフの場合は、パーセンテージの大きいものから順に12時の位置から時計回りにデータが配置されているとわかっているので、自然とそのように目線を動かしているのだ。

では、たくさんの数字がタテとヨコに並んでいる表はどうだろうか。「何年度の○○の数字が知りたい」というようにピンポイントで見る場合は、該当するマス目の数字を見ればいいが、そうでない場合はまず全体を把握したいところだ。

そんなときには、**一番上の列の左から目線をアルファベットの「Z」の形に動かす**といい。これなら、どれだけ数字が並んでいたとしてもざっと全体を眺めることができる。

たとえば、過去10年分の月別降水量をまとめた表があるとしよう。タテ軸に「年度」、ヨコ軸には「月」という項目がある。

この表を全体的に見ようとして、視線を上下左右、斜めなどと適当に動かしてしまうと数字の変化の流れがとらえにくくなる。

だが、Zの形に動かせば季節が変わるにしたがって降水量が増減したり、年度によって変化していることも感じることができるのだ。

大まかに、でも素早く表のポイントを把握したいときに使える方法である。

050

地図情報と数字をつなげて覚えると「地理力」がアップする

自分の住んでいる地方の県くらいはわかるが、ちょっと離れたところになってしまうと、地図を見てもどの県がどこにあるのかわからないという人は少なくないだろう。

なかには、自分の住んでいる県の周囲と北海道、沖縄以外はよくわからないという人もいるかもしれない。

ところで、もし日本の47都道府県の県名と場所を答えなければならないことになったら、どのようにして覚えればいいだろうか。簡単なのは**地図に数字を振って覚える**方法だ。

たとえば地図をコピーして、そこに北から順番に都道府県別に47番まで通し番号を振っていく。そして、別の紙には「①北海道、②青森、③秋田…」というように**番号と県名をひもづけ**しておく。

通し番号は、北海道は①、東北地方の6県は②〜⑦、関東地方の1都6県は⑧〜⑭というように地方ごとに固めて振ってもいいし、○○地方という区切りは無視して太平洋側、もしくは日本側から攻めてもいい。自分が覚えやすいやり方で振っていけばいいのだ。

要は、通し番号とその番号にひもづいている県名を記憶して、**地図を見たときにその記憶がよみがえるようにしておけばいい**というわけだ。

もちろんこれは日本地図だけでなく、世界地図にも使える。いきなり世界全体では大きいので、地域ごとに通し番号を振って覚えてもいい。

世界地図を見て、どこの国がどこにあるのかがひと目でわかるようになれば、その国の気候風土が想像できるようになる。

そして、地理がわかれば世界への関心が高まり、世の中で起きていることへの理解度も増す。地図は頭に入れておいて損のない知識なのだ。

051

メディアの情報を自分のアタマで取捨選択する方法

「ニュースで言っていたから」というだけで情報を鵜呑みにするのはあまりいいことではない。データを用いて比較し、いかにも説得力がありそうなことでも、よく見るとウソではないが現実とは違うということがあるからだ。

たとえば、最近ではインターネットで意識調査などが行われることが多いが、そこで出てきた結果が日本人が考えていることのすべてというわけではない。

若者ならほとんどの人がインターネットを使える環境にあるが、高齢者はスマホやパソコンを使わないという人もいる。そのため、高齢者が見たら違和感を持つような調査結果になっている可能性も少なくない。

同じことは、日本と**環境の異なる海外との比較データでも起こり得る**ということも覚えておきたい。

052

「数字力」を鍛えるには、頭のなかでそろばんをはじく

ニュースの中にはさまざまな数字が出てくるが、それをただ見聞きするだけではもったいない。その**数字を少し斜めから見てみて、掛けたり割ったりすることで「数字力」が鍛えられる**のだ。

たとえば、スポーツ大会などを見ていると、優勝セレモニーの際にスポンサーから勝者に「○○を1年分」といった副賞が贈られる。

それを見ていて、「いったいどれだけの量をもらうの？」と思ったことはないだろうか。そもそも「1年分」の定義は何なのか。

調べてみると、どうやら1年分というのは1人当たりの年間消費量が基準になっているらしいとわかる。ちなみに、ビールは1日1本として計算されるという。

ということは、副賞として365本もらえるということだ。

この数字を見て「毎日タダで1本飲める」と考えて終わらずに、その先を想像してみる。

「いや、1日1本では足りない人もいる。自分だったら3本飲むから、4カ月分にしかならない」などと、**頭の中でソロバンをはじいてみる**のだ。

また、ある企業が運営するSNSの中国での普及率が3割などという記事をみたら「14億人×0・3＝約4億人」と計算してみる。さすが人口世界一の中国、たった3割でも日本の人口の3倍以上だということがわかる。

さらに、フランスの1人当たりの年間のチーズ消費量は26キログラムと聞けば、たとえば自分の好きなステーキ肉に換算してみる。

肉だったら1回に300グラムは食べるという人なら26000グラム÷300グラム＝90回分くらいだとわかる。あの肉と同じ量のチーズを年間90回食べているのかと思うと、いかに大量なのかが実感できるはずだ。

このように数字で遊んでいると、頭の体操になるだけでなく、誰かの話を聞いたときや文献を読んだときなどに理解を深める助けにもなるのだ。

053

勉強を教えてもらうなら、チャンスタイムは〝最初〟にかぎる

勉強では人に教えてもらう機会も多い。しかし、人の言葉やアドバイスというのは場合によっては理解しにくいこともある。

かといって、せっかく説明してくれているのに、よくわからない、何のことを言っているのだろうなどとは、面と向かってなかなか言い出せないものだ。

大切なのは〝最初〟である。勉強についてわからないと思ったら、なるべく早く、できれば**最初のタイミングで「わからない」と正直に聞く**ことだ。

それを逃してわからないままで先へ進むと、よけいにわからなくなってしまうことになる。そうなってからでは遅いし、また最初まで話をさかのぼることになって時間の無駄になる。**聞くは一時の恥、聞かぬは末代の恥**である。

確実に理解してから先へ進むためにも、最初のチャンスを逃すべきではない。

054

わからないときは、改めて「大前提」を確認する

いくら考えても、どうしても問題の全体像がわからないことがある。けっして難しいわけではないのだが、なぜか理解できない。

つい焦ってしまうが、そんな場合にまず最初にやるべきは**「大前提」を確認すること**だ。大前提とは、つまり「土台」だ。土台がしっかりと頭に入っていなければ、その上にいくら積み上げようとしても無理である。

たとえば、ある公式を使って解く問題がどうしてわからないときには、その大前提である基礎的な公式についてあらためて確認してみる。**基本を理解していなければ、公式を使って解く問題がわかるはずはない**。そこで初心に帰って、なぜその公式が成り立つのかを確認するのだ。

そうすれば、今まで見えなかった全体像が理解できるようになるのだ。

055

「理解の積み上げ」をするために外せないポイントとは?

ある課題に取り組むとき、すべてを一度にわかろうとしてもなかなか難しい。少しずつ理解して、それを積み上げていくという考え方で、結果的に全体を理解していくのが間違いのないやり方である。

その際に忘れてはならないのは、必ず**「理解したこと」を積み上げる**ということだ。「1」を確実に理解してモノにしてから、次の「2」に進む、その「2」を理解したら「3」に進むというように、段階を経て少しずつ上がるようにしていくのだ。そうすれば、理解し忘れたところもなく全体が把握できる。

注意したいのは、なんとなくこれでいいというあいまいな部分を残さないことだ。中途半端に理解したままでは、全体の理解にも支障が出る。確実に理解したことを**ジグソーパズルのようにつなぎ合わせる**ことが重要なのだ。

056

わからなかったことが理解できる「ブログ」のススメ

理解力をアップさせるために効果的な方法として注目されているのが、ブログや日記を書くことだ。

人に読ませることを前提にすれば、できごとを客観的にとらえ、その事実を正確に書かなければならない。だから、**「いつ、だれが、どこで、なぜ、なにをした」という基本的な情報や複雑な構図を的確につかむ**訓練になる。

これを繰り返すことで、勉強においても「わかったつもり」で素通りすることがなくなる。とくに暗記ものの勉強では、ただ覚えただけでじつは内容を理解していないという失敗が起こりがちだが、そういうリスクがなくなるのだ。

さらにそれを**第三者に伝える文章にする**ことで、表現力や情報伝達能力も高まる。それを意識しながら、ブログや日記を活用してみてほしい。

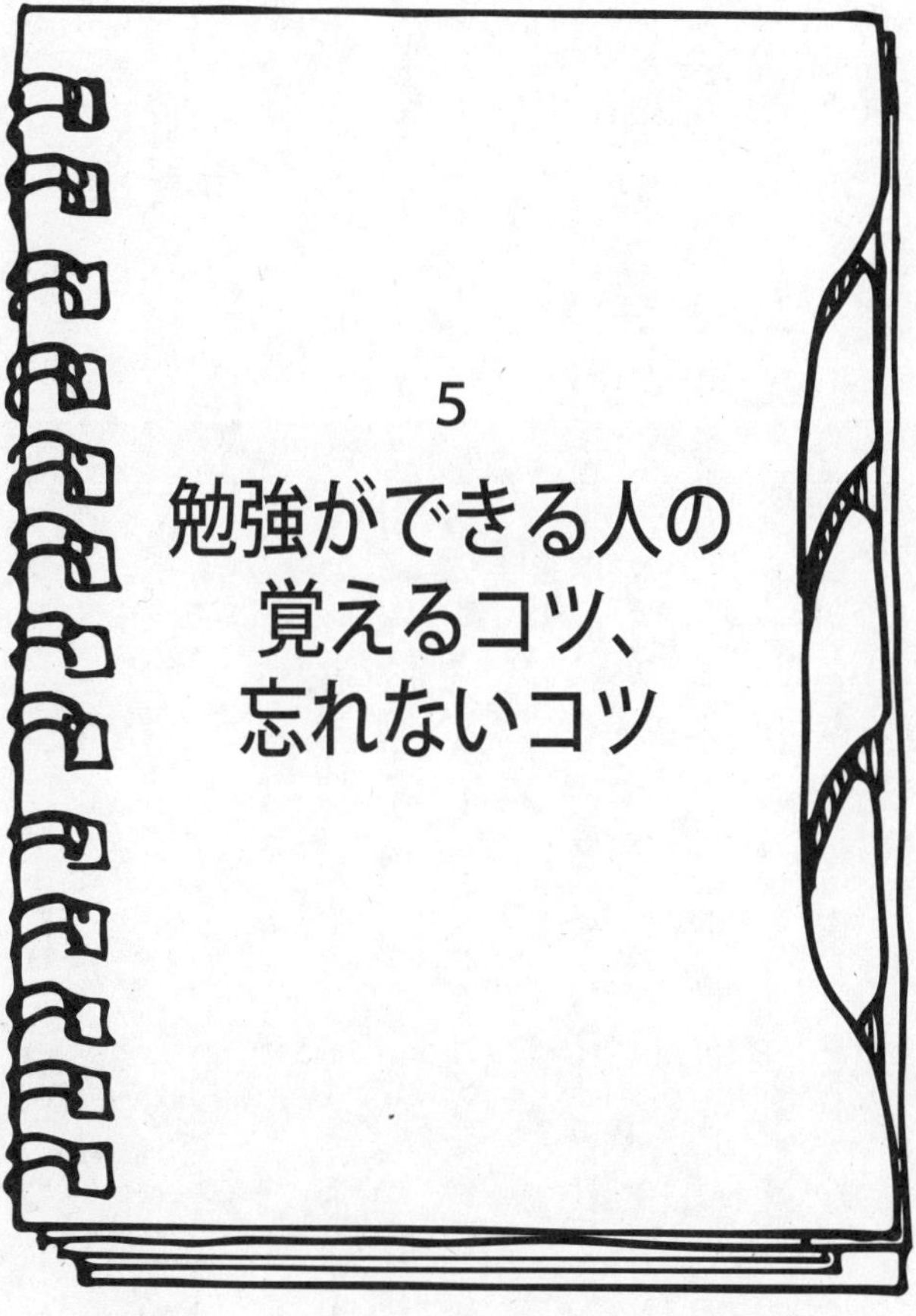

5
勉強ができる人の覚えるコツ、忘れないコツ

057

脈絡のない単語を一度で記憶できる「連想結合」とは？

記憶をしようとするときに、目の前に出された情報をそっくりそのまま覚えようとしてもなかなかうまく覚えられるものではない。

そこで、覚えやすい形にして記憶する方法がある。それが「**連想結合**」という記憶法だ。

目の前の情報の中からキーワードになりそうな**単語を3つか4つだけ抜き出し、それを結合して覚えておく**という方法だ。

たとえば、勉強会やセミナーなどのときなら、目の前にノートを広げておいて講師の話を聞きながら要点をメモすることができる。

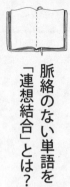

では立ち話や電車の中など、メモができない状況の場合はどうするか。

そんなときは、話を聞きながらいくつかの重要なキーワードを拾い、それらを統合して覚えておくのだ。そして、あとでキーワードだけを拾って全体像を思い出すのである。

たとえば、話の中から「地下鉄」「中華料理」「ウェディングドレス」というキーワードを抽出して覚えるとしよう。ただし脈絡がないので、ただ覚えるのは難しい。

そこで「ふたりで地下鉄に乗って中華料理を食べに行き、帰りにウェディングドレスを見た」というストーリー性のある文章にするのだ。これなら印象に残りやすいので記憶に留まる。そして、あとでキーワードだけを抜き出せばいいのだ。

また、たとえば「地図」「子供の日」「オーケストラ」なら、「子供の日にオーケストラを聴きに行くので、会場までの地図を用意しよう」と覚える。あまり突飛な発想ではなく、ふだんの自分の生活からあまりかけ離れておらず、自然と頭に入ってくるような内容がいい。

いうまでもないことだが、**ひとりになったらすぐにキーワードを書き出す**ことも忘れないようにしたい。

058

誰にでもできて効果抜群の「〝逆〟利き手トレーニング」

記憶力を高めたい、あるいは年齢に関係なく記憶力を維持したいとは誰もが願うことだが、そのためにはトレーニングを怠らないことが重要だ。

記憶力を衰えさせないためのトレーニングといえば、いうまでもなく常に脳を働かせることである。

では、具体的にはどうすればいいのだろうか。

よく電車の中などでクロスワードパズルなどのパズル雑誌を開いている人を見かけたりするが、あれは十分に効果がある。囲碁や将棋などもアタマのトレーニングの代表的なものだ。

あるいは、国の名前と国旗を覚える人もいる。好きなスポーツチームの名前とひいきの選手の背番号を覚えるだけでも効果はあるだろう。

しかし、じつはもっと簡単な方法がある。それは、**利き手ではないほうの手を使う**ことだ。

日常生活をあらためて振り返ってみると、無意識のうちに利き手しか使ってないことが意外とたくさんあるものだ。

そこで、たとえば右利きの人なら、スマホやリモコンの操作をする、ノブを握ってドアを開く、お茶や飲みものを器に注ぐ、風呂上がりにタオルで体を拭くといった**日常的な作業をあえて左手でやってみる**のだ。

実際にやってみてもそれほど難しいことではないが、たったそれだけのことでも脳にとっては新鮮な働きをすることになる。

ほんの一瞬考えたり、戸惑ったりすることで、いつもは右手の動きを司っている左脳から右脳へと回路をつくりかえることになり、そのときに脳に負荷がかかってトレーニングになるのだ。

何の準備もなく、すぐにできることなのでぜひ実行してみてほしい。**長く続けることで確かな効果を感じることができる**はずだ。

059

再インプットの絶好のタイミングを見逃すな！

記憶をするためには、ひたすら反復するのみ――。そう思い込んでいる人も多いだろう。学生時代、試験前に繰り返し書いたり声に出して読んだりして、重要事項を覚えた人がたくさんいるはずだ。

10代の頃ならそれでも記憶できるが、記憶力は年齢とともに低下するものだ。それを実感する場面はふだんの生活のなかでよくある。

そこで、ものを覚えるための秘訣を紹介しよう。どうしても何かを覚えなければならないときには、**「記憶のレミニセンス」**を利用するのだ。

これは、勉強の直後よりも、一定の時間を置いてからのほうが覚えたことを思い出しやすいという意味の心理学用語である。

ここでの大きなポイントは、**「一定の時間」**である。

たとえば、外国語の学習では単語の暗記が不可欠だ。そこで、つい長時間集中して一気に覚えようとしがちである。

ところが、ぶっ通しで覚えようとするよりも、20分覚えてしばらく休む、ということを3回繰り返したほうが、じつは効果は大きいのだ。

一定の時間とは、半日から一日くらいが目安だ。ようするに、一度覚えたことを忘れかけた頃がいいというわけである。

忘却曲線が下降し始めたときに、あらためて暗記する努力をする。すると、もうそろそろ記憶があいまいになってきたことでも、それに再び上書きされて記憶が定着しやすくなるのだ。

そこで、これらをまとめてみると、最初に暗記したときから半日か一日たったころに**「20分覚えてしばらく休む」を繰り返して復習する**のだ。これが最も確実で、理想的な記憶法ということになる。

060

書いて他人に説明することで記憶に定着させる方法

難しいことはわかっているけれども、正しく理解して頭にしっかりと叩き込みたい。でも、なかなか頭に入ってこないし、内容も把握できない。

そんなときには、**書いて他者に説明する**と絶大な効果を得られる。

人に理解してもらうのだから、その大前提としてまずは自分が正しく理解していなければならない。

どんなふうに始めればいいのか、どんな順番で話を展開すればいいか、相手を納得させるためには何を根拠にすればいいか、重要な情報を伝えるには、どんなタイミングで持ち出せばいいか。そして、結論をどこに置いて、どのように説明すればいいか――。

そういったことを第三者に説明しようと思えば、何よりもまず自分がきちんと内容を把握して理解しなければならない。

しかも、それを書いて伝えるわけだからごまかしはきかないのだ。何がなんでも理解し、それを言葉や図表などにして置き換えなければならないのである。

しかし、そうすることによって自分も正しく理解できるし、そのことが頭の中に定着して記憶に残るというわけだ。

学校の先生が黒板に文字や図形を書きながら説明するのはまさにそれである。自分で理解して記憶していることを黒板に書くことで再現しているのだ。

説明する相手は誰でもいい。会社の同僚でも家族でも友人でもいいだろう。大事なことは、わからないことがあったら**「そこはよくわからないよ」と正直に言ってくれる相手がいる**ことだ。

指摘されたところは、自分ではまだ理解が足りないところだ。だから、そこを重点的に考え、確実に理解し、言葉にしてみればいい。

自分がどこまで把握し、記憶しているかを確かめるためにこの書いて説明するという方法をぜひ実行してほしい。

061

身体を刺激すると記憶力がアップするって本当？

舞台俳優には、セリフを覚えるときに声を出しながら動いたり歩いたりする人が多い。そのほうが頭に入りやすく、記憶に残るというのだ。

視覚、聴覚、嗅覚、味覚、触覚の五感をはじめ、人間は**身体のいろいろな部分に刺激を与えると脳の活動も活発になる**。これは言い換えれば、覚えたことを思い出そうとする際に思い起こすルートが増えるということだ。

セリフを目で追うだけなら、視覚しか刺激されない。しかし歩いたり動いたりすれば、身体の筋肉などほかの部分も刺激される。だから、セリフがそれだけすんなりと頭に入り、あとから思い出しやすくなるのだ。

どうしても覚えなければならないものは、目で追うだけでなく、**ほかの感覚も同時に使うことで記憶力アップにつながる**のである。

062

「ハッピーな気分で覚えると忘れない」の科学的根拠とは？

記憶をするときのコツのひとつに、楽しく覚えるということがある。ものを覚えるのに楽しいとか楽しくないとか関係ないと思う人もいるだろう。ところが、それは大きな間違いである。

じつは、**ハッピーな気分で覚えたことは忘れにくい**のだ。

生きていくうえで不安や心配はつきものだ。何らかの理由で後ろ向きな気分になることは誰にでもある。

ところで、この不安や心配という気持ちは、人間にとっては「不快」な感情である。不快な感情は誰にとってもいやなものなので、できれば忘れたいと思うものだ。だから、不安や心配を抱きながら覚えたものは頭の中に残りにくく、早く忘れがちなのだ。

「覚えられなかったらどうしよう」「私はどうせダメだから」などと弱気になっても、けっして記憶には残らないというわけだ。

逆に、楽しい感情や前向きな感情は人間にとって心地いいものだ。だから、そういった感情と結びついたことは長く記憶に残る。

つまり、ハッピーな気分で覚えると忘れないというわけだ。

たとえば、受験勉強をするときに「昨日まではなかなか覚えられなかったのに、今日はすんなり頭に入ったぞ。よかった！」と思えば、勉強が楽しくなる。「この試験に合格したら、友達と思いきり遊ぶぞ！」と、目の前にニンジンをぶら下げれば前向きになれる。

たとえば、成功したときの**「ごほうび」になるような写真などを目の前に貼ったりする**のはかなり有効なのだ。旅行で行きたいところや、食べたい御馳走などをいつも目にしていれば常にポジティブな気分で勉強できる。そうすれば頭に入りやすいし、記憶も残る。

覚えるならハッピーな気分で。それが上手に記憶するコツである。

063

新しいものを生み出す「スキル効果」のスゴい効果

インターネットを利用すれば、あらゆる情報がいくらでも手に入る時代だが、情報はあくまでも素材であり、断片でしかない。それらを組み合わせたり、取捨選択して、新しいものを生み出すためのスキルがなければ何も始まらない。

つまり、重要なのは **「スキル記憶」** である。

たとえば、会話を通して交渉を成功させるためのコミュニケーションのスキル、有益な情報を生かしてわかりやすい企画書を書くためのスキル、一見異なるジャンルの情報を組み合わせて、斬新なアイデアを生み出す発想のスキルなど、**いろいろなスキルが新しいものを生み出す**。

このスキル記憶を上手に利用すれば、いろいろな情報を生かすことができるし、それが一生の財産になるのだ。

064

「海馬トレーニング」で記憶力はみるみる活性化する

記憶力は、加齢とともに衰えてくる。しかし、トレーニングをすることでそれを生き生きとしたままで保つことができる。

たとえば、年齢とともに筋肉が衰えることは誰もが経験することだ。これは筋肉を使う機会が減るからである。

人体には**「廃用性機能低下」**という性質がある。ようするに、使わない部分は確実に機能が衰えていくということである。それを防ぐためには、**筋力トレーニングを毎日続ければいい**。つまり、使い続けることが重要なのだ。

人間の脳も同じことだ。年齢とともに記憶力が衰えるのは、大人になると忙しくなって何かを記憶する機会が少なくなり、その結果、脳を使うことが減るからだ。

そこで、筋力トレーニングを続けるように脳のトレーニングを続ければ、記憶力を活性化することができる。

脳の中で記憶をつかさどっているのは、大脳辺縁系の一部である「海馬」という部分だ。この**海馬をトレーニングすれば、記憶力の減退を抑えることができる。**

方法はいたって簡単である。**「回想法」**を利用するのだ。つまり、**昔の記憶を呼び起こす**だけでいいのだ。

たとえば、子供のころに住んだ家や通った学校の様子を思い出してみる。なんとなく思い返すのではなく、なるべく細かいところまで記憶をたどってみるのがコツだ。

あるいは、家族や友達、先生のことでもいい。ああいう人がいたなあというだけでなく、具体的にどんな人物像だったか、どんな会話をしたかなどを思い出してみる。幼少期に読んだ漫画や遊んだおもちゃ、よく行った場所でもいい。時間をかけて、細部まで記憶をよみがえらせるのだ。ともかく、丁寧に記憶をたどってみるだけで海馬が活発に働き、記憶力が活性化するのだ。

065

脳内の〝ファイリング機能〟を最大限に活かしているか

インプットしたさまざまな情報をすべて同じように記憶するのは難しい。その点、脳には早めに忘れてもいい記憶と長期にわたって覚えておくべき記憶とに分類する機能がある。

そこで、その機能を生かせば効率的に記憶できるようになる。

では、脳は短期記憶と長期記憶をどうやって区別しているのかというと、それはどのようにして覚えたかによる。

たとえば、一度に複数の初対面の人に会って名刺交換をしたとしよう。名刺と顔を一致させて記憶するのはなかなか難しい。そこで、ただ覚えようとしても無理だと思ったら、その人の**特徴を連結させて覚えればいい**のだ。

「鼻の下にひげを生やした田中さん」「少しなまりのある大谷さん」「左の頬にホ

クロがある小田和さん」というように、**2つの情報をつなぐ**のだ。名刺の裏に特徴を書き込んでおくのもいい。そうすれば忘れにくくなるはずだ。

このように、2つ以上の手がかりを結びつけて暗記することを**「連想記憶」**という。そして、脳はこの連想記憶によって覚えた情報を「それだけ重要である」と判断し、長期記憶のほうにファイリングするのである。

だから、覚えるときになるべく手間をかけてインパクトを残すようにすると、それだけ脳内に長く保存されるのだ。

たとえば、「ロンドン」「布団乾燥機」「同窓会」という、何の関係もない言葉を記憶しなければならないときには、「同窓会で再会した友人がロンドンに赴任したので、布団乾燥機を送ってあげた」という一文にして記憶する。

これもまた連想記憶だが、ただ3つの単語を覚えるよりもインパクトが大きく、脳は長期記憶にファイリングするはずだ。

いつもまでも覚えておきたい大切な情報は、手間をかけて覚えるということを実践しよう。

066

頭のいい人は「方法記憶」でインプットしている

同じことを何度も繰り返して、いちいち考えなくてもそれが完璧にできるようになることを**「方法記憶」**という。

たとえば相撲で、一番取り終えた関取がインタビューに答えて「体が勝手に動いて、気がついたら相手の体を投げていました」などと話していることがある。

体が勝手に動くというのは、けっして誇張ではない。何度も投げの打ち方を練習するうちに体が完全に覚えてしまい、頭で考えるよりも先に自分の体のほうが勝手に反応してうまく投げを打ったのである。これはまさに方法記憶だ。

じつは人間は、いろいろなところでこの方法記憶を実践している。

たとえば自転車だ。最初はうまくこげなくても何度も乗っているうちにうまくなり、気がつけば何も考えなくてもスイスイ走っている。これは、身体が乗る方法を覚えてしまったということだ。

スキーやスケート、なわとび、箸の使い方などもまさに方法記憶である。

つまり、体に覚え込ませるということを利用すれば、**頭を使わなくても間違いなくできるようになる**のだ。

たとえば、あの人は何をするにしても覚えるのが早いといわれる人は、じつはこの方法を活用していることがある。

同じ行動を繰り返すとき、いちいち頭の中で考えない。体の動きや行動のパターンを身につけているのだ。

もちろん何にでもこれが通用するわけではないが、日々の暮らしの中で、洗濯したものを手早くタンスの引き出しにしまうとか、スーパーで買い物をするときに効率的に売り場をまわるといったことにも応用できる。頭で考えないで、**身体がその場所や位置関係を〝記憶〟している**ということだ。

この記憶法を身につければ、いろいろな場面で能率的に無駄のない動きができるようになるはずだ。

067

ニューロンの働きが断然よくなる〝笑い〟の効用

記憶力を高めるための楽しい方法がある。**一日一回、大笑いする**のだ。

脳内で記憶をつかさどるのは、**「海馬」**とよばれる部分である。

海馬での情報処理や情報伝達には多くのニューロン、つまり神経細胞が関わっている。ストレスや疲労などによって脳が緊張すると、このニューロンの働きは低下してしまう。すると、記憶力も減退してしまうのだ。

それを防ぐために最も手っ取り早く効果的なのが笑うことなのだ。

笑いは脳をリラックスさせ、緊張をほぐす。それによってニューロンの働きが活発になるのだ。

もともと身体には**「廃用性機能低下」**という性質がある。つまりこれは、使わなければ衰えていくということだ。

体の部位にもいえることだが、じつは脳にも当てはまる。脳を使うことが減っていけば、脳の機能そのものも減退していくと思って間違いない。そこで、笑うということを活用するのだ。

笑うことは、脳への心地いい刺激になる。そして脳内の神経伝達物質を活発化させ、その結果として海馬もまたその機能を取り戻すのだ。

笑うことはまた精神衛生上もとてもいい。何しろ気分がパッと晴れるし、前向きになれる。もちろん、人とのコミュニケーションにもいい効果をもたらす。

そういうことを考えても、笑いは身体を生き生きとよみがえらせてくれる。それが脳にもいい刺激になってくれるのだ。

家族や友人との語らいでもいいし、お笑い番組を観てもいい。どんなことでもいいから、一日に一回は腹の底から大笑いしてみよう。

それだけでいつまでも**ニューロンの活動が活発になり**、記憶力が錆びつかないはずだ。

068

〝受け売り〟をアウトプットして記憶力をあげる裏ワザ

受け売りでも何でもいいから、積極的にどんどん話したほうがいいといわれることがある。じつは、それが記憶力向上につながるからだ。

一般的に受け売りというのは、あまりいいことではないとされている。耳寄りな話を誰かに得意げに話しても、「それ、この前テレビでやってたよね」とか、「あの雑誌に書いてあった話だね、ぼくも読んだよ」などと指摘されるのは、何とも気まずいものだ。

しかし、だからといって、よそで見たり聞いたりした話を第三者に話すことをためらう必要はない。それが自分にとって重要な情報であればあるほど、**受け売りと割り切って積極的に人に話したほうがいい**のだ。

あらゆる情報は、インプットするだけではなかなか脳内に記憶としてとどまらない。すぐに忘れてしまうものだ。

しかし、それを自分の言葉にして周囲の第三者に話す、つまり**アウトプットすれば、きちんと記憶の中に定着しやすくなる**のだ。

情報とは本来、その全体像を正しく把握していなければ人には伝えられないものだ。だから、誰かに話すことによって自分がその話をどこまで理解しているかがわかるのである。

全部わかっているつもりだったのに、途中で曖昧なところがあったり話がつながらなくなってしまったら、そこが〝抜け〟ているということがわかる。だから、その**抜け落ちていた情報や、理解が足りなかった部分を自分で補強する**ことができるのだ。

そのことによって、その情報の全体像が正しく脳に記憶されやすくなるのだ。

繰り返すが、受け売りをためらう必要はない。そのことが、その情報を自分にとって本当に価値のあるものにしてくれるし、脳を活発に動かすことにもつながって記憶力をアップさせてくれるのだ。

069

ど忘れしたことをラクに再生させる〝呼び水〟の使い方

ド忘れをするのは誰にでもある経験だ。そんなときは、忘れたことを再生させてくれる**「呼び水」を活用すればいい**のだ。

これを思い浮かべれば目当てのものを思い出せるという、いわば呼び水になるものをふだんから用意しておくのだ。要は、**連想クイズのようなもの**だ。

たとえば、「中村さん」という人に対して「早口でせっかち」という呼び水を用意しておけば、中村さんの名前が出てこなくてもすぐにひらめく。「都庁がある街」という呼び水から「新宿」という地名が、「電話ボックスで赤いマントに着替える」という呼び水から「スーパーマン」で出てくる。

ふだんから自分にとって重要な情報を別の言葉や言い方で置き換えて〝ヒント〟にするトレーニングをしておけば、ド忘れすることの恐怖から逃れられるはずだ。

070

「忘却曲線」からわかる分散学習のパワーとは？

学習したことを少しでも長く覚えておきたい場合、短時間に多くのことを学習するのと、長い時間をかけて少しずつ学習するのとではどちらのほうが効果的だろうか。

前述のとおり、じつは、後者である。人間の脳にとって**「分散学習」**はとても効果的なのだ。

たとえば、1日に10分ずつの勉強を1週間続けた場合、1週間で70分の勉強をしたことになる。

逆に、6日間は勉強しないで、7日目に70分まとめて勉強しても学ぶ内容と量は同じだ。これらを比べてみると、1日にまとめてやったほうが効率的だと考える人も多いだろう。ところが、人間には**「忘却曲線」**というものがある。人間は、記憶して数時間後には40パーセントを忘れ、24時間後には66パーセント、3日後には75パーセントを忘れてしまうという研究結果があるのだ。

つまり、まとめて長時間勉強しても、その後はしばらく勉強しなければ急速に忘れていくだけなのだ。

しかし、少しずつ毎日でも勉強していけば、前日に覚えたことを少し忘れてもその上に新たな情報が上書きされていき、忘れにくくなる。人間は必ず忘れる動物だからそれを食い止めるわけだ。

そのため、**忘却する速さよりも早く次の情報を重ねていき、それを繰り返すことでなるべく忘れないようにしている**のだ。記憶したことを脳の中に残していくようにするのである。

そのためには、集中的に学習するよりも分散学習のほうが適している。何かを学習したり覚えたりする場合は、この原理を元にして日々の時間配分を考えたほうがいいのだ。

丸暗記より、「単純記憶」と「理解記憶」を使い分ける

ひと口に暗記といっても、いろいろな記憶術がある。その代表的なものが、**「単純記憶」**と**「理解記憶」**だ。

単純記憶は、ただ単純にそのままを覚えるというやり方だ。掛け算の九九は、まさに単純記憶であり、何度も声に出して繰り返し、そっくりそのまま頭に入れるという覚え方だ。

たとえば、外国語の「過去形・現在形・未来形」を覚えるときには、この単純記憶を使う。

円周率を何百桁も覚えている人も、同様に単純記憶をしているのだ。人間は、その気になれば理屈に関係なく単純に丸ごと記憶できるのだ。

一方、理解記憶は、その内容を頭で理解しながら覚えていくやり方だ。

たとえば数学の公式は、単純記憶で覚えても意味がない。すべての問題が単に公式に数字を当てはめれば解けるわけではないからだ。問題ごとに多少の応用をしなければならないので、公式について「なぜそうなるのか」を理解したうえで記憶する必要がある。

落語に「寿限無」という噺がある。「寿限無寿限無…」で始まる長い名前が出てくるが、じつはこれは無意味な言葉の羅列ではなく、すべての言葉に意味がある。その意味をいちいち理解すれば、最初は覚えにくかった長い名前もすぐに覚えられる、という噺である。これもまさに理解記憶である。

大切なのは、この**単純記憶と理解記憶を正しく使い分ける**ことだ。

ただ、ひたすら口で繰り返して単純に記憶をすればいいことを無理に理解しようとするのは時間の無駄であり非効率極まりない。逆に、正しく理屈をわかったうえで覚えなければならないことを単純に記憶しようとしても無理な話である。

何かを覚えるときは、これは単純記憶でいいのか、あるいは理解記憶しなければならないかを判断し、それにふさわしい覚え方をする必要があるのだ。

072

「三点注視トレーニング」で記憶力の減退を防ぐ

記憶力を鍛えるトレーニング法はいろいろあるが、簡単な訓練で記憶の減退を抑えることができる。それは**「三点注視トレーニング」**である。

道を歩きながら、あるいは窓の外の風景を眺めながらでもいいから、**3つの点を決めてそれらを順番に見て、それぞれの地点の様子を覚える**のだ。

しばらくそれをやったら、今度は目を閉じて3つの点を順番に思い出す。なんとなくではなく、細かい部分まで明確に思い返すようにするのがコツだ。

建物や木、自動車、あるいは犬や猫、何でもいいから、その色や形、どんな様子をしているか、思い出せる情報はすべて頭に思い浮かべてみる。

これを繰り返すことで、記憶するとはどういうことかがわかってくるし、どこをどう覚えればいいかもわかってくる。

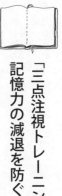

073

似た者同士を結びつけると、なぜ記憶力がグンと伸びるのか

記憶力を強める方法のひとつに**「類比法」**がある。

これは、すでに覚えているものの中から新たに記憶するのに似ているものを見つけ出し、両者を結びつけて覚えるというやり方だ。これだと、**新たな情報を単独で覚えるよりもはるかに記憶に残る。**

都道府県の「花」を覚えるとしよう。たとえば、北海道は「ハマナス」だ。そこでハマナスの花を思い浮かべて、それを北海道の形に模して覚える。

また、東京都といえば「ソメイヨシノ」だが、東京都の横長の形をソメイヨシノの枝ぶりに重ねてみる。

このように、花や木の形をすでに知っている都道府県の形に重ねてみるのだ。すると、花の名前を単独で覚えるよりも記憶に残りやすくなるのだ。

074

身のまわりの空間を頭の中に入れておくことのメリット

自分が見聞きした情報を確実に記憶して意識に定着させるためには、自分のまわりの空間を多方面からまるごとすべて認識する訓練が効果的だ。

ただし、このトレーニングには想像力が必要になる。

たとえば、自分が部屋の中で椅子にかけているとする。自分のいる場所から部屋全体を見ていると、ひとつの方向からしか部屋の様子をとらえていない。

しかし、たとえば天井から見たらこの部屋はどう見えるだろう、右のほうから、あるいは左のほうから見たらどんなふうに見えるだろうというふうに、**いろいろな角度から見た様子を想像してみる**のだ。

すると、〝新鮮な視界〟を得ることができる。これを繰り返せば、その空間を多方面からまるごと把握できるようになる。これができるようになればしめたものだ。

そこで、これを**情報を記憶するときに応用してみる**のだ。

たとえば、「パリ」という情報を記憶するとしよう。ふつうは本やノートなどの平面に書かれた、あるいは印刷された文字として認識することが多い。

しかし、「パリ」という言葉が、空間の中に浮かんでいる様子を想像し、それをいろいろな角度から眺めてみるのだ。

右から見る、左から見る、上から見下ろす、下から見上げる。あるいは遠ざかったり、近づいたりしてみる。すると、その角度や距離によって「パリ」という情報から受ける印象が変わり、イメージが広がるのだ。

すると、同じ情報でもそこに深みが加わり、いろいろな見え方やとらえ方ができるようになり、より厚みのある情報として覚えることができるのだ。

そのための訓練として、ふだんから**自分のまわりの空間を丸ごと把握する**、という訓練を重ねておきたい。想像力をフル活用して、楽しみながらやるのがコツである。

075

潜在意識に記憶するには、「リラックス状態」をつくりだせ

脳の働きをよくして記憶力を高めるために欠かせないのは、緊張しないようにして常にリラックスすることだ。しかし「リラックスしよう」と頭で考えても、なかなかうまくいくものではない。それには理由がある。

人間には、自分ではっきり自覚できる**「顕在意識」**と、自分では意識していない**「潜在意識」**がある。そして、この潜在意識が記憶や身体的な運動、生命の維持に関する活動などを支配している。人間を緊張させているのは、この潜在意識に無意識のうちに蓄積されたストレスなのだ。

だからリラックスするには、ふだんから**リラックスした状態をなるべく多く経験**し、その状態を潜在意識の中に溜め込むことが大事だ。リラックスした状態を経験することで、自然とその状態を維持できるようになるのだ。

076

キーワードを数珠つなぎにすれば、簡単に記憶から取り出せる

覚えていることを引き出すときに役に立つのが、数珠つなぎにするという考え方だ。頭の中で重要なキーワードがつながって出てくる様子を想像してみてほしい。これこそが、スムーズに記憶を引き出すコツなのだ。

ところで、「記憶力がいい」とはどういうことだろうか。

あることを本当に記憶したかどうかは客観的にはわからない。それがわかるのは、記憶したことを想起したり、思い出すときである。正しく思い出せれば、その人はたしかに**「記憶力がいい」**ということになる。

では、記憶したことをうまく思い出すのはどうすればいいのかというと、じつは一度にすべてを思い出そうとしてもなかなかうまくいかない。いろいろな記憶が一度にパッとひらめくことはないのだ。

そこで、**キーワードを数珠つなぎにして少しずつ思い出す**という方法をやってみてほしい。

たとえば、社内の会議で長々と企画について議論をする場合、最初から最後までを一度に全部思い出そうとしても無理だ。

そこで、あらかじめいくつかのキーワードを決めておき、それを順番に思い出すようにする。

「インスタ映え」「最近の流行」「働く女性のランチタイム」「カロリー計算」「海外市場」「アメリカの映画スター」といったキーワードを順番に覚えておけば、それに関する話の内容も順番によみがえってきて、話がスムーズに進むはずだ。**ひとつのキーワードが、次のキーワードを引っ張り出してくれる**イメージである。

ここで肝心なのは、一度に全部思い出そうとしないことだ。それは、記憶の混乱を招くだけだ。ひとつずつ数珠つなぎで思い出すことにより、頭の中も整理されるし話もしやすくなるのだ。

077

忘れないためには絶対必要な「魔法の5分間」とは？

学習したことや暗記したことはなるべく長く維持したいと思うものだが、残念なことに覚えたことは必ず忘れていくものだ。これは人間の生理として避けられないことでもある。

そこで、覚えたことをなるべく長い時間にわたって記憶内に維持する方法を考えてみよう。

そのために有効な手段のひとつが、**学習した後の5分間の復習**だ。たとえば、50分間の勉強をひと区切りとする。まだ余力があったとしても思い切って中断することが重要だ。

そして、その後の5分間をたった今学んだことを復習する時間に当てるのだ。

これは**すぐやることが肝心**で、根拠がある。

「忘却曲線」で説明したように、人間が覚えたことをどれくらいの速さで忘れていくかを調べたグラフによると、記憶して数時間後には40パーセントを忘れ、24時間後には66パーセント、3日後には75パーセントを忘れてしまうのだ。

つまり、学習した直後は、まだ記憶がかなり残っているということである。だから、そのタイミングで復習をすれば、忘れる量を少しでも減らすことができるというわけだ。

言い換えれば、**記憶が新鮮なうちにあらためて脳にすり込む**わけだ。

もちろん、その後は覚えたことは忘れていくが、次の学習をするまでに頭の中に残っている情報の量は、直後に復習したときのほうがしなかったときよりも多い。だから、それだけ学習効果も上がるということになる。

学習直後の5分間は、まさに魔法の時間なのだ。終わったからといってすぐに休憩するのではなく、直後に復習することにより学習効果が飛躍的に上がることを忘れないでほしい。

078

"ついうっかり"がなくなる！記憶の漏れを防ぐ3ステップ

「あ、うっかりこれを忘れてた！」――は起こりがちなミスだが、これは無意識のうちに重要なものとそうでないものを区別していることが原因だ。

この失敗をなくすためには、まずスケジュール帳を開き、細かくて忘れそうな予定だけをチェックして、それだけをじっくり眺めるのだ。反対に**大きな予定は見ないようにする**。それから目を閉じて、あらためて頭に叩き込む。ゆっくり時間をかけてもいいので、ともかく**「忘れそうな予定」だけを思い返す**のだ。

それからあらためてスケジュール帳を見てみよう。不思議なことにさっきまで目立たなかった小さな予定が、ほかの大きな予定と同じように見えてくるのだ。

忘れそうなものだけにターゲットを絞って覚えるのは、記憶を確実にするための有意義な方法なのだ。

6
突然頭が鋭くなる！武器としての集中力

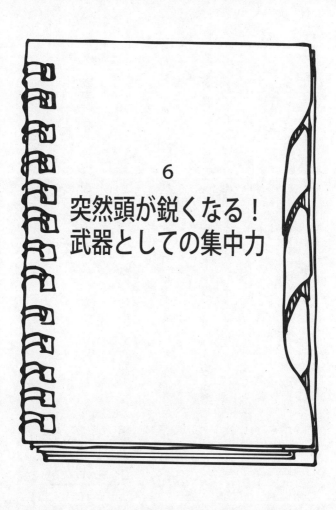

079

"フロー感"をアップさせて、集中力をアップさせる方法

集中力をアップさせるひとつの方法として、体内でのホルモンの分泌を利用するやり方がある。

勉強でも人との会話でも、目の前のことに没頭していれば集中力が増すものだが、そこで得た情報は長く記憶に残るものだ。

心理学者のM・チクセントミハイは、この没頭感に**「フロー感」**と名づけ、人間の集中力がポジティブに作用するうえでの重要な要素として注目している。

つまり、このフロー感を自分でアップさせれば、何をやっても集中力が上がり、そのときの自分の行動がいい結果につながるというわけだ。

では、どうすればこのフロー感をアップさせることができるのか。それには**セロトニン**という物質を分泌させることが有効だという。

セロトニンは「幸せホルモン」とも呼ばれる物質で、精神を安定させて平常心を保ったり、ストレスを軽減させたりする働きがある。

また、ほかのホルモンが増加して暴走するのを抑える効果もあり、人の「やる気」を出す物質としても注目を集めている。

このセロトニンを増やすには、肉や卵、乳製品、大豆食品などの**たんぱく質が効果的**といわれている。こういった食品を意識してとることでセロトニンの分泌を促すことができる。

また、休憩のときに外に出て**日光をたっぷり浴びることも効果がある。**晴れた日は積極的に散歩などするといいだろう。

さらに、日常生活の中で**幸福感を味わうことでも分泌される**ので、たとえば自分の好きな食べ物を気のおけない仲間たちと笑いながら楽しく食べるといったことでもセロトニンを得ることができる。

このセロトニンをうまく利用してフロー感をアップさせれば、集中力も飛躍的に上昇するのは間違いない。

080

「朝学習は効果が高い」説のウソとホント

仕事でも勉強でも朝起きてすぐは何をやっても集中力がアップするものだ。ぜひ、朝一番に大切なことに取り組む習慣をつけたいところだが、朝は頭がボンヤリしていてどうも頭に入ってこない、という人もいるだろう。それは、**睡眠のとり方が間違っている**のだ。

睡眠の大きな目的は、前日の疲れをとって頭の中をまっさらにし、心身共に最高のコンディションに戻すことである。

つまり、十分な時間を睡眠に費やして、しかも正しい睡眠さえとれていれば、朝、目が覚めたときは最高にリフレッシュされた状態になっているはずだ。

そして何よりも大事なのは、その時間にはまだ何も覚えていないということだ。頭の中がからっぽなのである。

昼間や夜なら、すでに起きてから頭に入ってきたことが蓄積されている。しかし、朝起きてすぐならまだ何も頭に入れてないので、何も邪魔をするものがない。この状態を、**「干渉効果」**がないという。

朝起きてから何かに取り組もうとすると前に溜まったものがないので、雑多なことから干渉されることがない。そのまま素直にどんどん蓄積されていくので、集中力も存分に発揮されるのだ。

また、逆にそれを引き出そうとしてもすぐにそのまま出てくる。**記憶の再生も昼間や夜に比べて簡単にできる**のだ。

だからこれだけは絶対に覚えておきたいというものがあれば、朝起きてすぐの、脳がまっさらな状態のときに集中して学習するといい。

そうすれば時間の無駄遣いをすることなく、最高のコンディションで頭に入れることができるのだ。

081

順調に伸びていた成績が伸び悩むのにはワケがある

集中力をさまたげるもののひとつとして、「プラトー現象」のことを知っておきたい。これは、誰もが経験することだからだ。

たとえば、苦労して山登りをしているとき、もうすぐそこに頂上が見えるところまで来ているのに、最後のあとわずかがなかなか進まなくなることがある。

ふだんいろいろなことで努力をしているときには、これと同じような現象が起こる。

たとえばダイエットをし始めたときには順調に体重が落ちていたのに、ある時点からまったく体重が変わらなくなる。あるいは、受験勉強をしているとき、最初は順調に成績が伸びていたのに、ある時点からまったく伸びなくなる。

これは、いずれも**プラトー（高原）現象**と呼ばれるものだ。

仕事でも勉強でも運動でもそうだが、始めてからしばらくは順調に効果が現われるが、途中から成果がまったく見えなくなることがある。

ここにさしかかると、多くの人は自分の努力が足りないと思い込んだり、これが自分の限界であり、もうこれ以上はいくら頑張っても無理だと勘違いしてしまう。そして、そこでやめてしまうのだ。

じつは、このプラトー現象は誰にでも訪れるものだ。必ず通る通過点だといってもいいだろう。

だから、「自分はもうここまでだ」と思うのではなく、「ついに自分もここまでやってきたのだ」と前向きにとらえるべきだ。

そして、先に進まなくなったことに困惑したら、今までに積み上げてきたことを振り返り、「自分はこんなにも頑張ってきた」「これだけ積み上げたのだ」と、**自分の成長を実感してみればいい**のだ。

プラトー現象は、それが限界でも伸び悩みでもない。**自分が努力をした証拠であり、次に進むための大切なステップ**なのだ。

082 集中できなくなったときの感情コントロール術とは？

物事に向かっていると途中で集中力がとぎれてしまい、何をやってもはかどらなくなることがある。いつも好調とは限らないと感じるのは日常茶飯事だ。

そんなときに、気分転換に音楽を聴く人も多いだろう。

じつはこの行為はこれはとても効果的で、音楽のリズムは人間の生理的なリズムとうまく響きあい、精神状態を高揚させてくれる効果がある。やる気が散漫になったときは、音楽を積極的に利用するのもいいだろう。

そこで、ぜひ知っておいてほしいのが**「同質の原理」**である。

たとえば気分が落ち込んでいるときには、聴きたくもないのに無理に明るくハイテンションな曲を聴こうとする人が多い。

しかし、これは逆効果である。そのときの**気分とかけ離れた音楽を聴いても頭**

は拒絶するだけだ。

そこで、落ち込んでいるときには、**あえて暗く悲しい曲を聴く**のだ。すると気分と曲調がうまく一致して、頭の中に音楽がすんなり入ってくる。これが同質の原理だ。

もちろん、いきなり気分が変わったりはしないのだが、音楽のリズムで気持ちは落ち着くし、別の情報が入ってくるだけの余裕もできる。

そうなったら、少し明るめの曲にするといい。すると気持ちもすこし浮上するし、そうなったところでさらに明るくアップテンポな曲にするのだ。

つまり、たった一曲でいきなり気分を変えようとするのではなく、少しずつ気持ちを落ちつかせ、余裕を持つようにして徐々にテンションを上げていく。そして**最後に〝決定的な曲〟をかける**のだ。

この同質の原理を知っていれば、音楽をより効果的に利用することができるのでぜひ試してほしい。

083

「言葉のリフレーム」で集中力を立て直す

壁にぶつかって前に進まなくなったとき、人は誰でも集中力が切れてしまってやる気を失うものだ。そんな場合は、**言葉のリフレーム**を活用したい。

言葉のリフレームとは、前向きな言葉やプラス志向な言葉によって自分に暗示をかけ、前に進むエネルギーを得ることだ。

たとえば、なかなか進まなくなったなと思ったら、「これからが本当の腕の見せどころだ」などといった言葉で自分を鼓舞するのだ。

疲れたと思ったら、「まだまだやれる！」「これくらい平気だ！」。失敗をしたら、「この失敗を次の成功につなごう！」「失敗に気づいたのだから、その理由もわかるはずだ！」というように、**プラス志向の言葉を思い描く**のだ。

言葉には、逆境をチャンスに変える力があるのだ。

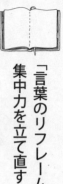

084

唇の状態と集中力の意外な関係とは？

集中力がとぎれたときに口が開いてないか注意してみてほしい。

もしも口が開いていたら、すぐに閉じること。それだけで集中力がアップすることがある。口を閉じるには口輪筋という筋肉を使うのだが、集中していないときにはこの筋肉が緩むのだ。

たしかに、口元が緩んでいると意識が散漫になっているような気がする。逆に、唇をきちんと閉じると気持ちも引き締まり、何をやっても頭が冴えてくるような感じがする。

じつは、これは気のせいではない。**口を閉じることによって前頭葉の血のめぐりがよくなる**のだ。その結果、脳の働きがよくなって集中力が増すのだ。注意力が散漫になったらまず口を閉じることが肝心だ。

085

「1点集中トレーニング」でよけいなことを頭から追い払う

集中しよう集中しよう…と強く思うあまり、逆に気が散ってしまい、集中できなくなるという経験は誰にでもあるだろう。

そんなときには、**「1点集中トレーニング」**を実行してほしい。

まず、円の中心に点を描いた図を用意する。そして、深呼吸してリラックスした状態になる。全身の力を抜いて、何も考えないようにすることが大切だ。

そうしたら、その状態で図の中心にある点を20秒間見つめる。次に目を閉じて、見えてくる残像に集中する。残像は1分間ほどで消えるはずだ。消えるまで、その点の残像に集中しよう。

それから、目を開く。

すると、頭の中がスッキリしていて集中力が復活するはずだ。

この理屈は簡単である。集中力がなくなるということは、頭の中によけいなものがたくさん入り込んできているからだ。だから気が散ってしまうのである。そこで、**図の中の点に集中することでよけいなものを追い払える**のだ。

すると、集中しているときの自分のコンディションが戻ってくるので、あらためて集中力を保てるようになるわけだ。

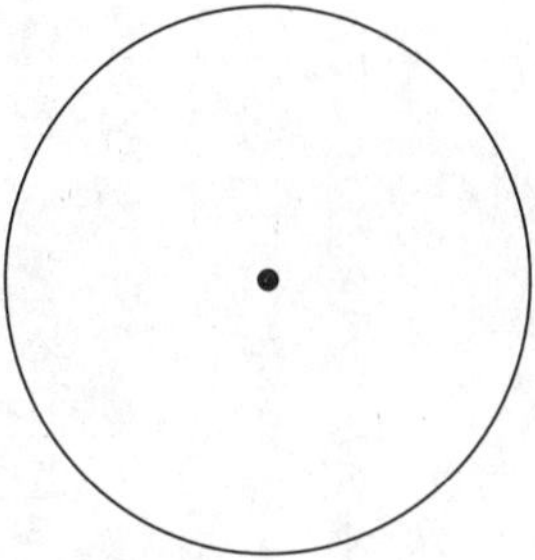

086

苦手な勉強もスッと頭に入る「とりあえず5分」の法則

仕事でも勉強でも、どうしてもやる気が起こらなくて取りかかれないときは、とりあえず**5分間だけ、今抱えている仕事や勉強に関するキーワードを検索してみる**ことをおススメする。

始められない理由は、何から始めればいいかわからないからだ。

そこで検索をしてみると、いろいろな情報が出てくる。そこにはいろいろな視点や新しい発想、ヒントがある。それを5分間続けるうちに、うっすらと〝輪郭〟が見えてきて、具体的に何をやればいいかの筋道が浮かび上がってくるのだ。

人間は、何かわからないところへはなかなか飛び込んでいけないものだ。しかし、どんな場所かが少しでもわかってくれれば、一歩を踏み出すことができる。たった5分間の検索で、それを見つけることができるのだ。

087

まずは身体を動かすことをスタート前のルーチンに

最初から集中力を100パーセント発揮するのは難しい。そこで、何かを始める前には**ウォーミングアップをする**といい。

どんなウォーミングアップでもいいが、大切なことは最初にこれをやればその後は必ず集中できる、という**マイ・ルールを決めて自分で思い込む**ことだ。

本来、ウォーミングアップというのは軽い運動によって体温を上げ、これから始めることに対する集中力を高めるために行う。ウォーミングアップすれば、心身共に理想的なコンディションになるということを信じることが大事だ。

何も軽い運動でなくてもいい。熱いコーヒーを飲むとか、好きな音楽を聴くといったことで同じ効果を得る人もいる。自分なりのウォーミングアップを決めてみよう。

088

周囲に本がたくさんあれば、どんなときも集中できる

読書が苦手な人でも読書好きになる方法がある。それは、自分の部屋のあちこちに本を点在させることだ。

本を読むのが苦手な人に話を聞くと、多くの人は一度読み始めた本は最後まで読み通さなければ気がすまないとか、読書するときはこの椅子に座る、寝る前の1時間は必ず読書に集中するというように、何らかのルールを決めている。そして、それにがんじがらめになっていることが多いのだ。

しかし、本によっては途中で飽きることもある。あるいは、読書時間を決めていても疲れてそんな気分ではないから読書なんてしたくないということもある。

それなのに、「ルールだから」といって無理矢理にでも本を開くとますます読書を敬遠してしまい、逆効果になる。

そんな場合は、部屋の中のいろいろなところに、いろいろなジャンルの本を置いてみる。**どこを見ても手を伸ばせば本がある**、という状態にするのだ。

そして、時間を問わずいつでもいいから、目の前にある本に少しでも興味を持ったら手にとって開いてみるといい。

もちろん何時間も読む必要はない。興味が続く限りでいい。**5分でも10分でもかまわない**。ほかの本に興味が移ったとしてもためらうことはない。その本に手を伸ばせばいいのだ。つまり**「つまみ食い」をする**わけだ。

これを繰り返すうちに、本を読むのは楽しいという意識が芽生えてくる。興味を抱いた本を好きなだけ読むのだから面白くないはずがないのだ。つまり、**楽しい読書体験を積み上げていく**わけだ。

食べ物だって「つまみ食いが一番おいしい」という人がいるように、本もまた同じである。そうすればいつの間にか読書への抵抗感がなくなり、楽に本が読めるようになるはずだ。

089

完全に切れた集中力を2日で復活させる方法

継続は力なりというが、誰にでも集中力が途切れることがある。そんなときは2、3日、**きっぱりとやめてみる**といい。思い切って目の前のことから離れて、**徹底的に好きなことをやる**のだ。

録画してあったテレビドラマをまとめて観たり、前々から気になっていた映画を観に行くのもいい。友達とおいしいものを食べに行き、大いに笑うのもいい。もちろん、何もしないでダラダラと過ごすのもいいだろう。

大切なのは、その間はそれまでやっていたことを完全に頭から締め出すこと。**いっさい考えない**、思い出さないということだ。一度、白紙に戻してリセットする気持ちでほかのことに全身全霊で熱中するのだ。

そうすれば、見違えるような自分になって集中力を取り戻せるはずだ。

090

集中力アップに役立つ「3つの効果音」とは？

図書館のように静まりかえった場所よりも、電車の中やカフェのように少しくらい人の声や雑音がしたほうが何をするにも集中できるという人は意外に多い。

音楽や生活音、人の声などをうるさくて邪魔なものとしてとらえるのではなく、**人間にとって役立つ〝効果音〟**ととらえて積極的に有効活用することも集中力を高める上で大きなプラスになる。

音楽やそれらの効果音が人にもたらす有益な効果には、次の3つがある。

①集中力を高める
②集中力を長い時間、維持する
③リラックスさせる

たとえば、映画や舞台に出演する役者が本番の前に好きな音楽を聴いていることがある。これは、テンションを上げて集中力を高めているのである。この曲を聴けば何事にも没頭できるという自分のテーマ曲のようなものを決めておくのもいいだろう。

また、最近は**「アルファリズム」**や**「シータリズム」**といった効果音が注目されているが、脳を直接刺激して集中力を高めてくれる音として、そういった音楽を利用する価値はある。

もちろん、どんな音がリラックスさせて集中力を高めるかは人によっていろいろだ。人工的につくられた音ではなく、波の音や風の音がいいという人もいるだろう。

電車の中での読書が最も集中できるという人もいる。リズミカルな電車の音が自分の波長とうまく合って落ち着くのである。

大切なことは、音楽でも効果音でも、**自分にとって最も効率を上げてくれる音は何なのか**ということをふだんからよく探っておくことである。

091

「報酬効果」と「瞑想トレーニング」で集中力を磨く

今やっていることがどんなに困難で大変なことであっても、どうにかしてそれをやり通そうとするのはなぜだろうか。それは、終わった後で自分にご褒美があるからだ。

これを積極的に生かせば、たとえ途中で疲れて集中力が途切れそうになっても再び復活して没頭することができる。これを**「報酬効果」**という。

たとえば、「この作業が終わったら、冷たいビールが待ってる」でもいいし、「この仕事が終わったら恋人と旅行に行こう」でもいい。「これをうまくやり終えたら、上司や同僚から称賛を浴びるはずだ」も立派な報酬だ。

こういうことを頭の中で想定すれば集中力アップに役立つが、ただしこの想定は、なるべく具体的でリアルなほうが効果は倍増する。

そこで、報酬効果を補強するために**「瞑想トレーニング」**を活用したい。

トレーニングといっても、やり方はシンプルだ。誰にも邪魔されない静かな場所で、椅子に座るなどしてゆっくりとリラックスする。そして、自分にとっての**「報酬」をリアルに思い浮かべる**のだ。

冷えたビールならジョッキについた水滴や、それを持ち上げたときの重さ、口に含んだときの苦み走った味わいや、喉元を通り過ぎるときの感覚など、自分の想像力をフル回転させて、なるべく細かいところまでイメージする。

人からの称賛を期待しているのであれば、あの人はこんなことを言ってくれそうだ、あの人はこんな顔をして喜んでくれるだろう、というように細かくその場面を思い描いてみる。

時間をかけてもいい。**20分から30分もそれをやっていれば効果は抜群**だ。そのあとは、集中力がまったく違ってくるだろう。

092

画面の高さと集中力にはどんな関係がある？

集中力の維持には、パソコンのディスプレイの高さも大きな関係がある。

自分の目線が上向きか、水平か、あるいは下向きかで人間の気分は変わってくるし、集中力にも影響する。何をするにも**理想的な目の高さや視線の向きというものがある**のだ。それが正しくなければ集中力も途切れがちになる。

ディスプレイを長時間見ることは、心身に大きなストレスと疲労を蓄積させるものだ。一般論としてよくいわれるのは、ストレスに強くかつ体力もそれなりにある人は、水平よりもやや上に見上げる位置が理想で、逆に疲れやすくストレスもたまりやすい人は、やや下向きの位置がいいという。

ただし、これに当てはまらない人もいるだろう。あくまでも自分でいろいろ試してみて、**最もふさわしい位置を見つけ出す**といいだろう。

093

「目の状態」がいいと、集中力も頭の回転もアップする

頭の働きをよくするために、**目をいいコンディションに保つ**ことは欠かせない。

目が疲れていると、頭も疲れるのはもちろんのこと身体全体の調子が悪くなる。

左右どちらかの目が疲れていると、高いところや離れたところにある物をとるときに距離感がつかめないし、階段を上り下りするときにも足と階段との距離感がつかめず、ふだん以上に負担がかかる。

また、いうまでもなく、脳は目から入ってきたものを処理することによって「見える」という機能が働いている。だから、目が正しく機能せずに見えにくいということは脳への負担にもつながる。

逆に、目の状態がいいと脳がベストの働きを保ち、集中力を維持してくれるのである。

そこで、**目の状態をよくするための軽いトレーニング**をしてほしい。

①目をギュッとつむる。そして開く。これを何回か繰り返す。

②目を左右に動かして、なるべく視界の端を見るようにする。素早く動かしたり、力んだりしたりする必要はない。自然にあたりを見る感じで眼球を動かす。これを3往復から5往復する。

③②と同じ要領で、目を上下左右、右上と左下、左上と右下に動かす。

④片目ずつ、左右交互に、両目の間、鼻の上のほうの一番低い部分を見る。もちろん焦点は合わないが、眼筋の柔軟さをうまく利用して目線を移動させる。

⑤視野の端を見るようにして両目を大きく回転させる。右回り、左回りを3~5往復を繰り返す。

⑥目を休める。半開きにして力を抜き、視線を下げたまま30秒から50秒ほど、そのままでリラックスする。

朝起きたときや、仕事中に疲労を感じたときなどにぜひやってみてほしい。

094

「4つの集中力」を使いこなしている人の学習効果とは？

いくら話しかけてもいっさい反応せず、自分の仕事に没頭している。誰もが「集中力があるな」と感じるものの、現実的なことをいえば、こういう人は周囲にとってはある意味で迷惑でもある。

ほかの用事があって声をかけても電話が鳴っても反応しないようでは、むしろ自分のことしか考えない自己中心的な人とも受け止められかねない。

ここで**「集中力がある」**ということをもっと大きな見地から考えてみたい。

じつは本当に集中力が高い人は、目の前のことに集中しながらも周囲で起こっていることにも注意が向けられる。言い換えれば、自分の独自の世界に没頭しながらも、同時にそのほかの世界で何が起こっているかをきちんと見極められるのである。

ラグビーやサッカーの選手を考えてみるとわかりやすい。彼らは、じつは4つの世界に対して集中力を発揮しているのだ。

まず、今この瞬間に自分に何ができるかに集中している。同時に、ゲーム全体の状況の中で自分はどうすればいいかも把握している。これは内面的に「広い視野」と「狭い視野」の両方があるということだ。

さらに今、ボールをどう動かすべきかに集中している。それと同時に、味方と敵、双方の選手がどんな動きをしているかも把握している。

つまり、本当に集中力があって世界を把握している人というのは、**「4つの集中力」を同時に働かせている**のである。

ひとつの集中力だけではものごとは解決しない。あらゆる状況に集中し、また**それらに対応できてはじめて総合的な行動ができる**のだ。

そして、これができる人こそが本当の意味で「集中力が高い」といえるのである。

095

「色」が集中力をアップさせるメカニズムとは？

人間の行動は、色彩の影響を少なからず受けているものだが、集中力を増進させてくれる色彩というのはあるのだろうか。

それはずばり、**黄色**である。黄色は明るく、目立つ。見ているだけで気分がパッと晴れるという人も多いだろう。同時に膨張色でもあり、全身黄色の服を着ていると実際よりも太目に見えることもある。

しかし、これが集中力アップと関係があるのだ。つまり、**一瞬で目を引きやすい**ので気持ちがそこに向かっていくということだ。

これに関していえば、人間の網膜は黄色をターゲットにして焦点を合わせるという性質がある。つまり、黄色に向かっていると頭がキュッと引き締まって集中力がアップするのだ。

096

前向きなストレスなら、集中力アップに使える

ストレスは人間にとってマイナスであり、どんな場合にも足を引っ張るものだと思われがちだが、じつは違う。

同じストレスでも、**前向きなストレスであれば、それはむしろ集中力をアップさせる**こともあるのだ。

ストレスを感じると脳内にはノルアドレナリンというホルモンが分泌されて、一種の興奮状態になる。これにより思考力がアップするのだ。

ストレスが募り、精神的に追い詰められると、それまで思ってもいなかったようなことが口に出たり、できなかった行動がいきなりできたりすることがある。

これはまさに、その興奮状態によるものだ。

ノルアドレナリンによって頭の回転がよくなり、その結果、集中力が上昇して

思い切った行動になるのだ。

ただし、これは「いいストレス」を受けた場合に限る。いいストレスとは、言い換えれば前向きな悩みである。

この問題を解決するためのベストの方法は何だろうとか、これがうまくいけばどんなすばらしい結果が待っているだろうかといった、いい方向へ向かうための悩みであれば、それはまさにいいストレスということになる。

これにより脳が興奮状態になり、五感を刺激してどんなことに対しても敏感になり、その結果、集中力が増すのである。

逆に、これに失敗したらどうしようとか、うまくいかなかったら最悪の事態になるといった後ろ向きな悩みは**「悪いストレス」**なので、集中力のアップにはつながらない。

だからいい悩み、いいストレスは負担に感じる必要がない。前向きにとらえて積極的に活かしてはどうだろうか。

097

「会話のキャッチボール」で集中力が一気に高まる⁉

集中力が途切れたときには、会話のキャッチボールをすればいい。

仕事が煮詰まって前に進まなくなったときに、まわりの人とテンポよく会話をしたら気分転換になって集中力が戻ってきた、という経験を持つ人も多いだろう。

たしかに、人と話すことで新しい情報が入ってきたり、今までとは違った見方ができるようになり、それが頭のリフレッシュになるということはある。

しかし、それだけではない。言葉のキャッチボールをして素早いリズムの会話をすることが、じつは集中力のアップにつながっているのである。

テンポのいい会話をしていると、自分の言ったことに対してすぐに相手から返答があるので、つい自分もまた言葉を返すことになる。

これはつまり、受信と発信を素早く繰り返していることになる。言い換えれば

多くの情報を短時間で処理しているのと同じなのだ。

人との会話は、言葉だけのやりとりではない。言葉の持つ意味を交換していると同時に、相手の表情や顔色、目線、しぐさ、声の大きさや調子など、さまざまな情報を受け取り、それらを総合的に判断して相手が何を伝えようとしているのかを受け取るのだ。

そしてさらに、それに対してベストの返答を考え出して相手に投げ返すのである。それが会話というものである。

それほど大量の情報処理を瞬時にやっているのだから、**脳はフル活動することになり、一気に集中力が高まる**わけだ。

集中力の低下を感じて会話をすることで気分転換をしようとするならのんびりと話すのではなく、あえて**丁々発止の会話を心掛ける**といい。すると頭が冴えわたって、集中力を取り戻すことができるはずだ。

098

短時間の集中を繰り返す人が長時間集中できる理由

集中力を長時間にわたって持続させるのは難しい。これから3時間、わき目もふらずに頑張るぞと決意したところで、たいていの人は途中で疲れが溜まり、注意力が散漫になってしまう。

じつは、集中力を長く保たせているように見える人でも、よく見るとこまめに休憩を入れていることが多い。

数時間にわたって同じペースで集中力を持続させるのではなく、たとえば30分やったら必ず5分間の休憩を入れて、頭をリフレッシュさせたり体をリラックスさせたりする。そしてまた次の30分に集中する。これを繰り返すのだ。

ここでのポイントは、**時間がきたらキッパリやめて休憩する**ということだ。この切り替えさえうまくいけば、長時間の集中力持続も可能である。

099

「独自のリズム」が集中力をアップさせるこれだけの理由

ボールペンを指先でクルクル回す、指で机を小刻みに叩く、貧乏ゆすりをする、長い髪の毛の先をいじるなど、仕事中に独特の動きをする人がいる。

傍から見ていると「なぜ？」と思うこともあるが、じつはそれがその人にとっての集中力アップの方法なのだ。

何かの動きで一定のリズムを刻んだり、同じ動きを繰り返すといったことで精神的に安定する人もいる。そういう人たちは、それがわかっていてやっているのだ。

あるいは、集中しようとすると無意識にそれをやってしまう人もいる。いずれにしても、それがその人にとって**「今、自分は集中している」というサイン**なのだ。

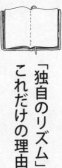

野球選手の中にはガムを噛みながらバッターボックスに立つ選手もいるが、あれはガムを噛むことで集中力を高めているのである。具体的には**脳内ホルモンのセロトニンが分泌され、精神の安定に役立っている**のだ。

前述した通り、セロトニンとは「幸せ物質」とも呼ばれており、人間を前向きにするホルモンだといわれている。

ほかのスポーツでもよく見ていると、いつも同じ動きをしている人が多い。相撲の力士が制限時間いっぱいになるといつも同じように顔や体を叩いたり、テニスプレーヤーがいつも同じようにジャンプしたり素振りをしたりする。

それは、その人が自分はこの動きをすれば集中できる、最大の力を発揮できるとわかっていてやっているのだ。

だから、この動きをすれば集中できるという動きやリズムを見つけて、ここぞというときには生かしてみるといい。大事なのは、**自分のテンションを高めて前向きな気分にする一定のリズム**である。

「午前中の方が集中力が高い」ってどこまで本当？

100

午前中のほうが頭がスッキリしていて集中力も高い、と感じる人は多いだろう。

しかし、午前中の時間をフルに活かそうと思っても、なかなか早起きできなくてうまくいかないものだ。それでもどうにか時間のやりくりをして、午前中を最大限に生かして大切な仕事に活かしたいものだ。

じつは最近、ひとつのニュースが注目を集めたことがある。静岡県の小学校の間で**「午前5時間制」**の導入が広がっているというのだ。

ふつう、小学校の午前中の授業というと4コマである。しかし、始業前の朝活動15分間をなくしたり、4時間目と5時間目の間の休み時間を短くするなどのやりくりをして、午前中に5コマの授業をするようにしたのだという。

もともとは教師の午後の活動時間が不足しがちだったために、午後の時間に余裕を持たせるために始まったことだった。

しかし、結果的には児童のほうもそれで何ら差しさわりはなく、しっかり授業に集中できているし、さらに放課後の習い事やボランティア、遊びの時間が長く確保できるようになったという。

もちろん、確実に早起きして、きちんと朝食を食べるなどのスケジュールをこなしていかなければなかなか対応できないが、今のところは午前5時間制はおおむね好評で、それが静岡県下では広がりを見せているという。

こういう実例を見ても、やはり午前中の有効活用は誰にとっても不可欠だということがわかる。

自分の生活をあらためて見直してみて、**午前中に力点を置くような生活をつくり出す**ことは、集中力アップのためにはおおいに意味のあることなのだ。

■参考文献

「30日で人生を変える「続ける」習慣」（古川武士／ゴマブックス）、「極度集中　世界500万人が支持する最強の自己啓発入門」（ブライアン・トレーシー／文響社編集部編／文響社）、「頭の回転が速くなるすごい！法」（佐々木豊文／三笠書房）、「記憶力がいままでの10倍よくなる法」（栗田昌裕／三笠書房）、「超「高速」時間術」（矢矧晴一郎／成美堂出版）、「記憶力30秒増強術」（椋木修三／成美堂出版）、「なぜか、「仕事がうまくいく人」の習慣」ケリー・グリーソン著、楡井浩一訳／PHP研究所）、「世界一やさしい心理操作テクニック図鑑」（齊藤勇監修／宝島社）「ダメなパターンから抜け出すためのちいさな工夫」（吉山勇樹／サンクチュアリ出版）、「安田式時間ルール35」（安田正／日本文芸社）、「PHP　くらしラク〜る♪」（2015.2／PHP研究所）、読売新聞、日本経済新聞、夕刊フジ、ほか

■参考ホームページ

静岡新聞、ほか

青春文庫

99%が気《き》づいていない 大人《おとな》の勉強力《べんきょうりょく》

人生《じんせい》を変《か》える〝鬼《おに》〟法則《ほうそく》100

2020年 3 月20日　第 1 刷

編　者　ビジネスフレームワーク研究所《けんきゅうじょ》

発行者　小澤源太郎

責任編集　株式会社プライム涌光

発行所　株式会社青春出版社

〒162-0056　東京都新宿区若松町 12-1
電話 03-3203-2850（編集部）
03-3207-1916（営業部）
振替番号　00190-7-98602

印刷／中央精版印刷
製本／フォーネット社

ISBN 978-4-413-09750-5

逆境を生き抜く「打たれ強さ」の秘密
タフな心をつくるメンタル・トレーニング

ビジネス、スポーツ、人間関係…
あらゆる場面で、人を恐れず
ストレスフリーに生きるために。

岡本正善

(SE-736)

心をピッカピカにするおそうじ言葉
まず、3日間だけ続けてみてください

人生が輝き出す「おそうじ言葉」と
心をよどませる「散らかし言葉」。
あなたはどちらで生きていきますか？

星まゆ美

(SE-737)

話す・読む・書く 1秒で語彙力

〝その瞬間〟に必要な言葉が降りてくる！
幼稚な日本語を大人の日本語に、日常の言葉を
仕事の言葉に変えるコツを網羅した決定版！

話題の達人倶楽部［編］

(SE-738)

「一生メシが食える子」が育つお母さんの60のルール

「答えを出す勉強だけではメシは食えない！」
メディアで人気のカリスマ塾講師が、
お母さんのための60のルールを伝授。

高濱正伸

(SE-739)